総合韓国語
中級
発展テキスト

한국을 말하다

もっとも近い隣国！
基礎知識から現在,
そしてこれからの「韓国を語る」

林 炫情・丁 仁京・崔 文姫・木下 瞳

HAKUEISHA

まえがき

近年、日本では再び韓国カルチャーが注目を集め、2020年には「第4次韓流ブーム」が新語・流行語大賞にノミネートされました。このような流れのなか、日本国内の韓国語学習者は増え続け、韓国社会や文化に対する関心はますます高まっています。しかしながらこれまで刊行されている韓国語中級教材は、文型・読解・会話中心の内容が主流であり、韓国社会・文化を中心とした中級レベルの韓国語統合教材は少ないのが現状です。そこで、本教材は韓国社会や文化に関する内容を中心に、これまでの知識や理解をより深め、発展的に学習できるような内容・構成としました。本教材を通して、これまで学んだ韓国の社会・文化に関する断片的な知識や理解をより深め、発展的な学習を推進することができれば幸いです。

本教材の特徴は、「韓国の基礎」、「韓国の生活文化」、「韓国の文化と芸術」、「韓国の社会と未来」の４つのテーマについて、それぞれ韓国の社会・文化を理解するために必要な項目を厳選して提示した点にあります。「韓国の基礎」は、韓国の地理から歴史、言語、コミュニケーション作法といった韓国社会を理解するための基本的な内容、「韓国の生活文化」は、韓国の通過儀礼や衣食住といった韓国人の生活様式を中心とした内容となっています。また「韓国の文化と芸術」では、家族月間、大学生活、美容、文学などを通してみる韓国人の価値観について、そして「韓国の社会と未来」では、現在韓国社会が抱えている現状と課題について取り上げました。

また各課には、それぞれの学習目標を設定し、学習者自らが学習内容と学習目標を確認しながら学習を進められるよう工夫しました。<읽어 보기>の本文には、学習者が各課のテーマを理解する上で必要な内容を盛り込み、最

後に内容の理解度を測る確認問題を設けました。本文中に用いた語彙や表現はリストに整理し、日本語訳をあわせて提示することで、学習者がなるべく辞書の助けを借りず内容が理解できるよう配慮しました。＜들어 보기＞と＜이야기해 보기>では、各課のテーマと関連した内容について聞く、話す、書くことを通してより発展的な学習ができるよう心掛けました。さらに、それぞれの課の最後には日本語による＜コラム＞を掲載し、多様な観点で楽しみながら韓国社会・文化を理解、学習できるよう工夫しました。本教材を通して、韓国語能力の向上だけでなく、韓国社会・文化に対する興味・関心がさらに高まることを期待しています。

最後になりますが、この本の出版を快く引き受けていただいた、出版社日本法人博英社の中嶋啓太代表取締役、そして詳細な構成や表現を念入りに確認してくださった金善敬編集委員をはじめとする編集部のみなさまに心より感謝申し上げます。

2022年8月吉日

著者一同

この本の構成と活用

本教材は、韓国の社会・文化についてより総合的な学習と理解を深めたい中級レベル以上の日本人韓国語学習者を対象にしたものです。

本教材の1課から4課までは「韓国の基礎」、5課から8課までは「韓国の生活文化」、9課から13課までは「韓国の文化と芸術」、14課から15課までは「韓国の社会と未来」に関する内容で構成されています。各課の学習内容はそれぞれの単元ごとに完結していますので、興味のある単元から学習を進めていただいて構いません。

本教材では、各課ごとに学習目標を設定しており、学習者自らが学習内容と学習目標を確認しながら学習を進めることができるようになっています。また、＜읽어 보기＞＜들어 보기＞＜이야기해 보기＞＜コラム＞までを通して学習することで、単にテーマ内容の理解のみにとどまらず、より発展的な学習ができるような構成になっています。

本教材の付録には学習者が一人で学習する際にも困らないよう、＜본문 확인하기＞及び＜들어 보기＞の解答と＜들어 보기＞のスクリプトを掲載しました。本教材の主な構成は以下の通りです。

学習目標

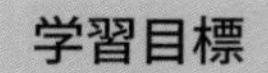

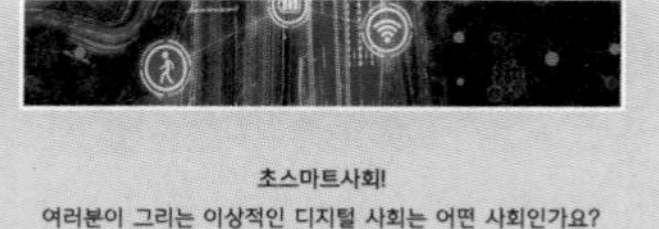

학습목표
- 한국의 디지털 사회의 특징에 대해 이해할 수 있다.
- 디지털 사회가 가져다 주는 장점과 단점에 대해 이야기할 수 있다.
- 생활 속에서 진행되고 있는 디지털화에 대해 이야기할 수 있다.

各課ごとに学習目標を設定し、学習者自身が各課での学習内容を確認し、発展的に学習を進めることができるようにしました。

読んでみよう

읽어 보기

18세기 말에서 19세기 말에 발명된 증기기관과 전기는 인류의 산업 생산성을 극적으로 증대시켜 제1, 2차 산업혁명을 일으켰고(3.0 사회), 20세기 말 정보통신기술(ICT)의 발달은 산업과 사회에 융합돼 제3차 산업혁명(4.0 사회)을 가져왔습니다. 과학기술은 21세기에 접어들어 산업 현장뿐 아니라 일상생활까지 혁명적으로 변화시키며 스마트 환경의 인공지능사회(5.0 사회)를 열어가고 있습니다.

多様なテーマの文章を読むことで韓国社会・文化への理解を深められるようにしました。また、本文の音声をQRコードで提示することで、音声を聞きながら読む練習ができるようにしました。

語彙と表現

어휘와 표현 語彙と表現

참고 어휘 参考語彙

❑ 증기기관	蒸気機関	❑ 우승 상금	優勝賞金
❑ 인류	人類	❑ 발족하다	発足する
❑ 산업 생산성	産業生産性	❑ 지급수단	支払い方法
❑ 증대시키다	増大させる	❑ 모바일금융	モバイル金融

＜읽어 보기＞に出てくる語彙や表現を、参考語彙・学習語彙・表現の3つに分類し日本語訳もあわせて提示することで、学習者がなるべく辞書の助けを借りずに内容を理解できるよう配慮しました。

本文確認

본문 확인하기

❶ 본문을 읽고 다음 질문에 답하세요.

(1) 5.0 사회는 어떤 사회입니까?

(2) IT산업을 국가 기본 정책으로 추진한 사람은 누구입니까?

＜읽어 보기＞の最後に、本文の理解度を測るための確認問題を設けました。本文と関連した問題を解いてみることで、本文の内容を整理し、より理解を深めることができます。

聞いてみよう

들어 보기

❶ 교통카드 티머니에 대한 설명입니다. 내용을 듣고 맞는 것을 모두 고르세요. (　　　　　)　15-1

(1) 어디서나 구매와 충전이 가능하다.
(2) 티머니를 사용하면 버스와 지하철 간 환승이 무료이다.
(3) 택시에서 사용할 수 없다.
(4) 자기만의 오리지널의 카드를 만들 수 있다.

各課のテーマと関連のある聞き取り問題を設けました。聞き取りを通して学習者が「読む」だけではなく、「聞く」ことに対してもより発展的な学習ができるようにしました。

話してみよう

이야기해 보기

❶ 디지털 사회의 장점과 단점에 대해 알아보고 이야기해 보세요.

各課のテーマと関連のある話題について書いたり話したりできる練習問題を設けました。このような練習を通して、「書く」「話す」ことにおける実践面での表現能力の向上を図ることができます。

コラム

コラム

自宅からいつでも各種証明書が発行可能？

2020年国連が発表した「世界電子政府ランキング」で韓国は第2位にランクインしました。電子政府とは、ITの利用により行政事務を簡素化し効率的な政府を実現しようとするものです。韓国はこの調査で過去10年間にわたって常にトップ3にランクインしています。韓国のオンラインサービスは充実しており、政府のポータルサイトでは約3200種類の証明書の申請や発給を受けることが

各課のテーマと関連のある豆知識を日本語で記載しました。コラムを読むことでリアルタイムな韓国の情報を得られるだけでなく韓国社会・文化を多様な観点で楽しみながら理解、学習できるよう工夫しました。

目次

音声配信について

・以下のURLまたはQRコードからアクセスすると、本書の音声ファイルを無料でダウンロードすることができます。ＰＣやスマートフォンなどにダウンロードしてご利用ください。
https://www.hakueishabook.com/news/n100994.html

・各課の本文の音声はQRコードで表示しています。QRコードをスマートフォンで読みとると、音声を聞くことができます。

읽어 보기

한반도는 38도선을 경계로 조선민주주의인민공화국과 대한민국으로 나뉩니다. 한국 내에서 각각 북한과 남한이라고도 불리는데 북한은 한반도의 북부 지방에 해당하고 남한은 중부와 남부지방에 해당합니다.

・「들어 보기」は、表示されている音声番号に従って再生してください。

들어 보기

❶ 일기 예보입니다. 내일 날씨에 대한 설명으로 맞으면 ○, 틀리면 × 하세요.

1-1

(1) 올 가을 첫 한파주의보가 내려진다. (　)
(2) 서울 아침 최저 기온은 5도이다. (　)
(3) 미세먼지 때문에 하늘이 흐리다. (　)
(4) 서해안에는 강한 바람이 분다. (　)

한국의 기초

Chapter 01

한국의 지리

韓国の地理

9개의 도와 6개의 광역시

다채로운 한국 지역!

한국에는 어떤 지역이 있어요? 가고 싶은 지역은 어디예요?

학습목표

◆ 한국의 지역 구성과 특징에 대해 이해할 수 있다.

◆ 일기 예보에서 사용하는 표현을 이해하고 오늘 날씨를 이야기할 수 있다.

◆ 가고 싶은 여행지에 대해 이야기할 수 있다.

읽어 보기

한반도는 38도선을 경계로 조선민주주의인민공화국과 대한민국으로 나뉩니다. 한국 내에서 각각 북한과 남한이라고도 불리는데 북한은 한반도의 북부 지방에 해당하고 남한은 중부와 남부지방에 해당합니다.

한국의 국토 면적은 10만km²이고 한반도의 45%에 해당합니다. 그리고 한국의 45%가 평지이며 그 외는 산지로 되어 있습니다. 한국의 인구는 약 5천백만 명이며, 그중 5분의 1의 천만 명이 수도인 서울에 살고 있습니다. 기후는 일본과 비슷하여 사계절이 뚜렷한 온대성 기후의 특징을 가지고 있습니다. 하지만 겨울은 특히 건조하여 기온이 낮아 서울에서는 영하 10도까지 내려갑니다.

행정구역으로는 크게 경기도(京畿道) 강원도(江原道), 충청북도(忠清北道), 충청남도(忠清南道), 경상북도(慶尚北道), 경상남도(慶尚南道), 전라북도(全羅北道), 전라남도(全羅南道), 제주특별자치도(済州特別自治道) 의 8개 도와 하나의 특별자치도로 나뉩니다. 그 외에 서울특별시(ソウル特別市)를 비롯하여 인천광역시(仁川広域市), 대전광역시(大田広域市) 등의 6개의 광역시가 있습니다.

한국의 수도인 서울은 국제적인 대도시이며 관광, 미식, 쇼핑 등 모든 것이 모여 있어서 외국인 관광객도 많습니다. 서울은 한강을 중심으로 강북과 강남으로 나뉘는데 두 지역은 각각 다른 특징을 지니고 있습니다. 강북은 경복궁이나 창덕궁, 덕수궁 등의 고궁과 역사적인 문화재가 많고 그 외에 명동이나 동대문시장, 남대문시장 같은 전통적인 명소가 많이 있습니다. 한편 강남은 새로 개발된 지역으로 압구정동이나 청담동을 중심으로 세련되고 고급스러운 가게들이 많습니다.

한국 제2의 도시인 부산광역시는 항구도시입니다. 남포동에 있는 자갈치 시장은 부산을 대표하는 어시장으로 신선하고 맛있는 생선회를 맛볼 수 있습니다. 해운대나 광안리 같은 해수욕장에는 휴가철에 많은 피서객이 몰립니다. 그 곳에서는 매년 불꽃 축제를 비롯한 여러 이벤트가 개최되고 있습니다. 매년 가을에는 부산국제영화제(BIFF)가 열리며 세계에서 많은 관광객들이 찾아옵니다.

경상북도에 있는 경주는 신라 시대의 수도였으며 길거리에서는 그때 당시의 역사 유산을 흔히 볼 수 있습니다. 그중에서도 석굴암과 불국사는 세계유산으로 등록되어 있으며, 그 외에도 안압지라는 정원이나 경주국립박물관 등 볼 만한 것이 많습니다.

한국의 대표적인 휴양지인 제주도는 돌과 바람, 그리고 여자가 많아서 삼다도(三多島)라고도 불립니다. 한라산을 중심으로 목장이나 귤 농장, 차나무밭 등이 펼쳐져 있어 아름다운 자연 풍경을 즐길 수 있습니다. 제주도에서는 돌하르방이라는 석상을 많이 볼 수 있는데 이것은 마을을 지키는 수호신 역할을 하고 있습니다.

어휘와 표현 語彙と表現

참고 어휘 参考語彙

❏ 한반도	朝鮮半島、韓半島
❏ 조선민주주의 인민공화국	朝鮮民主主義人民共和国、北朝鮮
❏ 북한/남한	北朝鮮/韓国
❏ 국토 면적	国土面積
❏ 온대성 기후	温帯性気候
❏ 행정구역	行政区域
❏ 광역시	広域市
❏ 한강	漢江
❏ 강북/강남	江北/江南
❏ 경복궁	景福宮
❏ 창덕궁	昌徳宮
❏ 덕수궁	徳寿宮
❏ 고궁	故宮
❏ 문화재	文化財
❏ 명동	明洞
❏ 동대문시장	東大門市場
❏ 남대문시장	南大門市場
❏ 압구정동	狎鴎亭洞
❏ 청담동	清潭洞
❏ 항구도시	港口都市
❏ 어시장	魚市場
❏ 휴가철	休暇シーズン
❏ 피서객	避暑客
❏ 부산국제영화제	釜山国際映画祭
❏ 석굴암	石窟庵
❏ 불국사	佛國寺
❏ 안압지	雁鴨池
❏ 경주국립박물관	慶州国立博物館
❏ 휴양지	休養地
❏ 한라산	漢拏山
❏ 목장	牧場
❏ 귤 농장	みかん農場
❏ 차나무밭	茶畑
❏ 돌하르방	トルハルバン
❏ 석상	石像
❏ 수호신	守護神

학습 어휘 学習語彙

어휘	意味	어휘	意味
❑ 경계	境界、境目	❑ 맛보다	味わう
❑ 해당하다	該当する	❑ 해수욕장	海水浴場
❑ 평지	平地	❑ 몰리다	集まる、殺到する
❑ 산지	山地	❑ 매년	毎年
❑ 인구	人口	❑ 불꽃 축제	花火祭り
❑ 수도	首都	❑ 개최되다	開催される
❑ 기후	気候	❑ 열리다	開かれる、開催される
❑ 건조하다	乾燥する	❑ 찾아오다	訪ねてくる
❑ 영하	零下	❑ 길거리	通り、道端、路上
❑ 국제적이다	国際的だ	❑ 흔히	よく、しばしば
❑ 대도시	大都市	❑ 세계유산	世界遺産
❑ 미식	美食	❑ 등록되다	登録される
❑ 모여 있다	集まっている	❑ 정원	庭園
❑ 관광(객)	観光（客）	❑ 돌	石
❑ 전통적	伝統的	❑ 바람	風
❑ 명소	名所	❑ 펼치다	広げる
❑ 개발되다	開発される	❑ 자연 풍경	自然風景
❑ 세련되다	洗練された	❑ 즐기다	楽しむ
❑ 고급스럽다	高級だ	❑ 마을	村
❑ 대표하다	代表する	❑ 지키다	守る
❑ 신선하다	新鮮だ	❑ 역할	役割
❑ 생선회	刺身		

표현 表現

⌟ -(이)라고(도) 불리다	～と(も)呼ばれる
⌟ -과/와 비슷하다	～と似ている
⌟ 사계절이 뚜렷하다	四季がはっきりしている
⌟ 기온이 내려가다	気温が下がる
⌟ -을/를 비롯하다	～をはじめとする
⌟ -아/어서	～なので
⌟ -을/를 중심으로	～を中心として
⌟ -(으)로 나뉘다	～に分けられる
⌟ 특징을 지니고 있다	特徴をもっている
⌟ -과/와 같은	～のような
⌟ -ㄹ/을 수 있다	～することができる
⌟ 볼 만하다	見る価値のある、見ごたえのある

본문 확인하기

❶ 본문을 읽고 다음 질문에 답하세요.

(1) 한국의 제2의 도시는 어디입니까?

(2) 제주도가 '삼다도'라고 불리는 이유가 무엇입니까?

❷ 다음은 한국의 각 지역을 설명하는 글입니다. 설명하는 글과 맞는 지역을 선으로 연결해 보세요.

(1) 신라 시대의 역사 유산을 흔히 볼 수 있다.	a. 부산광역시
(2) 한강을 중심으로 강북과 강남으로 나뉜다.	b. 제주특별자치도
(3) 돌하르방이라는 석상을 많이 볼 수 있다.	c. 서울특별시
(4) 자갈치 시장에서 신선하고 맛있는 생선회를 맛볼 수 있다.	d. 경주시

유단대적(油断大敵)

방심은 금물

❀ 돌다리도 두들겨 보고 건너라

❀ 石橋を叩いて渡る

들어 보기

❶ 일기 예보입니다. 내일 날씨에 대한 설명으로 맞으면 ○, 틀리면 × 하세요. 1-1

(1) 올 가을 첫 한파주의보가 내려진다. (　　)

(2) 서울 아침 최저 기온은 5도이다. (　　)

(3) 미세먼지 때문에 하늘이 흐리다. (　　)

(4) 서해안에는 강한 바람이 분다. (　　)

올가을 今年の秋	한파주의보 寒波注意報	경기북부 京畿北部
영서 북부 嶺西北部	기온이 뚝 떨어지다 気温がぐっと（一気に)下がる	
체감온도 体感温度	북서풍 北西風	미세먼지 PM2.5
대기 상태 大気状態	서해안 西海岸	

❷ 여행 계획에 대한 대화입니다. 내용을 듣고 질문에 답하세요. 1-2

(1) 수영과 민수는 부산에서 어디에 갈 예정이에요? 순서대로 적어 보세요.

① ▶ ②

(2) 부산의 먹거리는 뭐라고 했어요? (　　)

① 비빔밥　② 칼국수　③ 돼지국밥　④ 육개장

대구 大邱　먹거리 食べ物、グルメ

이야기해 보기

❶ 날씨에 관련된 표현에 대해 알아보고 각 지역의 날씨에 대해 이야기 해 보세요.

❷ 한국에서의 하루 여행 계획을 세워 보고 이야기해 보세요.

コラム

首都圏に全人口の半数が集中？！

韓国では、全国土面積の11.8%にすぎないソウル・仁川・京畿道に全人口の半分以上が集中して暮らしており、首都圏への一極化が課題となっています。韓国の若者たちは大学進学でも就職でもとにかく「インソウル（in Seoul）」を目指しています。それは韓国の難関大学や大企業のほとんどがソウルに集中しており、「インソウル」の大学や会社に行くことが将来の成功や安泰につながると考えられているからです。このような問題を解消するため、2012年7月1日、政府によって行政首都機能を担う「世宗特別自治市」が誕生しました。世宗市はソウルから車で1時間30分ほど離れた都市ですが、今や行政機関のみならず、病院や大型商業施設、大学の新キャンパスなどの建設が進み、韓国の「第2の首都」となりつつあります。

세종특별자치시（世宗特別自治市）

Chapter 02

역동의 한국 현대사

激動の韓国現代史

역대 대통령을 통해 본 한국사의 흐름

촛불 시위!

무엇을 하는 시위일까요?

학습목표

- 한국의 현대사에 대해 이해할 수 있다.
- 한국의 민주화운동에 대해 이해할 수 있다.
- 한국과 일본의 현대사를 비교하여 이야기할 수 있다.

한국은 1910년부터 35년간 일본의 식민지였습니다. 1945년 8월 15일 제2차 세계대전에서 일본이 패전하면서 한국은 해방을 맞았습니다. 그러나 곧이어 미군과 소련군이 한반도의 38도선을 경계로 남과 북에 각각 주둔하며 군사정권이 시작되었습니다. 그 후, 1948년 8월 15일에 대한민국 정부가 수립되었습니다. 그리고 9월 9일에 조선민주주의인민공화국(북한)이 수립되면서 한반도는 분단국가가 되었습니다. 한국과 북한의 대립이 치열해지면서 1950년 6월 25일에 한국전쟁이 일어났습니다. 3년간 계속된 한국전쟁은 1953년 7월에 휴전이 성립되었고 현재도 휴전상태입니다.

한국전쟁으로 인한 참상과 깊은 후유증 속에서 한국인들은 민주주의를 정착시키고 경제성장을 이루기 위해 온 힘을 모았습니다. 전쟁 후 사회를 복구하고 경제를 발전시키는 과정에서 한국의 통치자들은 독재정치체제를 유지했습니다. 초대 대통령인 이승만(李承晩)의 12년간의 장기집권에 저항한 4·19 혁명을 시작으로 5 · 18 광주민주화운동, 6월 항쟁 등이 일어났습니다. 1970년대에 들어서면서 5대부터 9대까지 역임한 박정희(朴正熙)정부에 의해 '새마을운동'이 시작되고, '한강의 기적'이라고 불리는 고도의 경제성장을 이루었습니다. 이러한 지역사회개발 정신은 현재까지도 계속되고 있습니다. 군사정권 당시의 일례로 '통행금지령(통금)'이라는 것도 있었습니다. 통금은 일정 시간(22시~04시)에 일반인의 통행을 금지하는 제도로, 주로 야간에 이루어지는 경우가 많았습니다. 사이렌이 울린 후에 통행하는 사람은 경찰서에 유치되어 있다가 오전 4시에 집으로 돌아갈 수 있었습니다.

군부 독재정치에서 오늘날과 같은 민주주의 사회가 실현된 것은 그리 오래되지 않습니다. 1987년에 군사정권이 물러나고 13대 노태우(盧泰愚) 대통령에 의해 민주주의 정부가 새로 출범했습니다. 1990년대에 접어들어 한국 경제는 정부 주도에서 시장 경제체제로 전환하며 세계화를 추진했습니다. 그 과정에서 1997년에 외환위기(IMF)를 맞기도 했으나, 금모으기 운동 등 국민의 뛰어난 단합력을 보여주면서 '한강의 기적'이라고 불리는 빠른 경제회복을 맞았습니다.

한국은 1988년 서울올림픽과 2002년 한일 월드컵을 통해, 국제사회에 한국에 대한 인지도를 높였습니다. 특히 2002년 한일 월드컵은 일본에서의 한국에 대한 인지도를 보다 높이는 계기가 되었습니다. 뿐만 아니라 이러한 국제 행사는 한국의 시민 의식 수준을 향상시키고, 단합된 마음을 확인하는 기회가 되었습니다. 국민의 정부, 15대 김대중(金大中) 대통령하면 떠오르는 것이 바로 북한과의 '햇볕정책'입니다. 김대중 전 대통령은 최초의 남북정상회담을 실현한 공로로 노벨 평화상을 수상한 유일한 대통령입니다. 또한 문화 대통령이라고도 일컬어지며 한일간의 문화교류정책에 주력했습니다. 많은 관심과 기대를 모았던 한국의 첫 여성 대통령인 18대 박근혜(朴槿惠) 전 대통령은 헌정 사상 처음으로 시민에 의해 파면된 대통령이기도 합니다. 이때 보여준 시민들의 촛불집회는 지금까지의 극단적인 대결과 폭력적이었던 시위를 평화적으로 변화시켜, 오늘날의 한국의 새로운 시위문화로 정착되었습니다. 한국의 역대 대통령들의 행적과 공로에 대한 평가는 앞으로도 계속될 것입니다.

어휘와 표현 語彙と表現

참고 어휘 参考語彙

❑ 식민지	植民地
❑ 제2차 세계대전	第2次世界大戦
❑ 패전하다	敗戦する
❑ 38도선(군사경계선)	38度線（軍事警戒線）
❑ 주둔하다	駐留する
❑ 군사정권	軍事政権
❑ 분단국가	分断国家
❑ 휴전상태	休戦状態
❑ 참상	惨状
❑ 민주주의	民主主義
❑ 통치자	支配者
❑ 독재정치체제	独裁政治体制
❑ 장기집권	長期政権
❑ 4 · 19혁명	四月革命、四・一九学生革命
❑ 5 · 18광주 민주화 운동	光州事件、5・18民主化運動
❑ 6월 항쟁	6月民主抗争
❑ 새마을운동	セマウル運動（地域開発運動）
❑ 한강의 기적	漢江の奇跡
❑ 지역사회개발	地域社会の発展
❑ 통행금지령(통금)	通行禁止令（通禁）
❑ 군부	軍部
❑ 그리	それほど
❑ 출범하다	発足する
❑ 외환위기(IMF)	通貨危機（国際通貨基金IMFによる韓国救済）
❑ 금모으기 운동	純金集め運動
❑ 단합력	団結力
❑ 서울올림픽	ソウルオリンピック
❑ 한일 월드컵	日韓ワールドカップ
❑ 단합되다	団結する
❑ 국민의 정부	国民の政府
❑ 햇볕정책	太陽政策
❑ 남북정상회담	南北首脳会談
❑ 공로	功労
❑ 노벨 평화상	ノーベル平和賞
❑ 일컬어지다	呼ばれる、言われる
❑ 헌정 사상	憲政史上
❑ 파면되다	罷免される
❑ 촛불집회	ろうそく集会、キャンドルデモ
❑ 시위	デモ

학습 어휘 学習語彙

어휘	意味	어휘	意味
❏ 성립되다	成立する	❏ 주도	主導
❏ 후유증	後遺症	❏ 전환하다	転換する
❏ 정착시키다	定着させる	❏ 추진하다	推進する、促進する
❏ 경제성장	経済成長	❏ 뛰어나다	優れる、秀でる
❏ 이루다	成す、実現する	❏ 회복	回復
❏ 복구하다	回復する	❏ 특히	特に
❏ 발전시키다	発展させる	❏ 보다	より一層
❏ 유지하다	維持する	❏ 의식	意識
❏ 초대	初代	❏ 향상시키다	向上させる
❏ 대통령	大統領	❏ 떠오르다	浮かぶ
❏ 저항하다	抵抗する	❏ 최초	最初
❏ 들어서다	入る	❏ 유일하다	唯一だ
❏ 역임하다	務める、歴任する	❏ 주력하다	注力する、力を注ぐ
❏ 고도	高度	❏ 극단적이다	極端だ
❏ 정신	精神	❏ 대결	対決
❏ 일례	一例	❏ 폭력적이다	暴力的だ
❏ 금지하다	禁止する	❏ 정착되다	定着する
❏ 유치되다	留置される	❏ 역대	歴代
❏ 실현되다	実現される	❏ 행적	行跡
❏ 물러나다	退く	❏ 평가	評価
❏ 접어들다	差し掛かる、向かう、時期に入る		

표현 表現

❑ -(으)면서	～して、～しながら
❑ 해방을 맞다	解放を迎える、解放される
❑ 수립되다	樹立される
❑ 대립이 치열하다	対立が激しい
❑ 전쟁이 일어나다	戦争が起こる
❑ -(으)로 인한	～による
❑ -기 위해	～するために
❑ 온 힘을 모으다	力を合わせる
❑ -에 의해	～によって
❑ -ㄴ/은 후	～した後
❑ -기도 하다	~することもある、～したりもする
❑ -을/를 통해	～を通じて、～通して
❑ -에 대한	～に対する
❑ 인지도를 높이다	認知度を高める
❑ 계기가 되다	きっかけとなる
❑ 뿐만 아니라	それだけではなく
❑ -ㄹ/을 것이다	～するだろう

본문 확인하기

❶ 본문을 읽고 다음 질문에 답하세요.

(1) 한국에서 유일하게 노벨평화상을 수상한 대통령은 누구입니까?

(2) 한국의 새로운 시위문화로 정착된 평화적인 시위를 무엇이라고 합니까?

❷ 본문 내용과 맞으면 ○, 틀리면 × 하세요.

(1) 한반도는 분단국가이다. ( )

(2) 1970년대에 들어 '새마을운동'이 시작되었다. ( )

(3) 군사 정권 당시 야간에 통행을 금지하는 '통금'이 있었다. ( )

(4) 18대 박근혜 대통령은 한일간의 문화교류정책에 주력했다. ( )

염력철암(念力徹岩)

전력을 다해 힘을 다하면 바위도 뚫을 수 있다

❀ 공든 탑이 무너지랴

❀ 真心を込めてしたことが無駄に終わるようなことは決してない

들어 보기

❶ 남북의 이산가족 현황 조사 결과입니다. 내용을 듣고 (　) 안에 알맞은 숫자를 쓰세요. 2-1

이산가족 상봉을 신청한 이들은 모두 13만 3천 386명이다. 그 가운데, (1) 생존자는 (　　　) %이고, (2) 사망자는 (　　　)%이다.

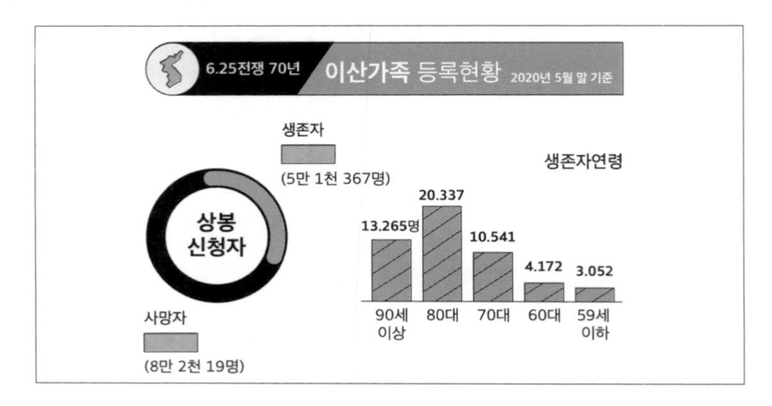

이산가족 離散家族	흩어지다 離れ離れになる	소식 消息
대면상봉 対面 再会	그치다 とどまる	세상을 떠나다 世に去る

❷ 다음은 청와대 견학을 문의하는 대화입니다. 내용을 듣고 일치하는 것을 모두 고르세요. (　　　　　) 2-2

(1) 청와대 견학은 미리 신청해야 한다.

(2) 주말에 청와대를 견학할 수 있다.

(3) 월요일에는 청와대를 견학할 수 없다.

(4) 청와대 관람 시간은 3시간 정도 걸린다.

청와대 青瓦台（大統領府）	희망일 希望日	미리 事前に、前もって

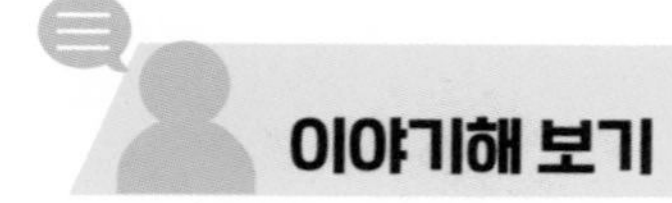

❶ 한국의 민주화 운동을 주제로 한 영화를 본 후 내용에 대한 감상을 이야기해 보세요.

❷ 한국과 일본의 정치제도의 차이에 대해 알아보고 이야기해 보세요.

コラム

韓国の大統領は今までに何人いたのでしょうか?

韓国は大統領制で、国民の直接選挙で選出された大統領は非常に強力な権限を持っています。初代の大統領から現職の第19代大統領まで、全部で12人の大統領がいます。代と人数が一致しないのは何代にもわたって大統領の座に居座り続けようとした人物がいたからです。しかし、民主化宣言以降の第13代目からは、１期５年で再選はありません。皆さんは韓国の歴代大統領の名前を何人知っていますか？また、20代目の大統領は誰か知っていますか。

◆ 韓国の大統領

歴代の代数	大統領の名前	在任期間	備考
1・2・3	李 承晩(이승만)	1948 ~ 1960	・市場経済体制導入 ・長期政権への改憲 ・韓国戦争で自由民主体制守護 ・韓米同盟の構築
4	尹 潽善(윤보선)	1960 ~ 1962	・4.19 民主革命以後の状況管理
5・6・7・8・9	朴 正熙(박정희)	1963 ~ 1979	・5.16軍事クーデターを主導 ・産業化と漢江の奇跡 ・民主化抑圧、維新独裁 ・セマウル運動 ・自主国防の基礎を構築

10	崔 圭夏(최규하)	1979 ～ 1980	・10.26以降の状況管理
11・12	全 斗煥(전두환)	1980 ～ 1988	・光州民主化運動弾圧、新軍部独裁 ・物価、経済の安定 ・ソウルオリンピックの準備
13	盧 泰愚(노태우)	1988 ～ 1993	・民主化への転換期 ・北方外交 ・南北基本合意書を締結
14	金 泳三(김영삼)	1993 ～ 1998	・政治軍人清算、文民政権 ・金融実名制 ・経済運用の失敗により通貨危機をもたらす
15	金 大中(김대중)	1998 ～ 2003	・水平的政権交代、国民政府 ・日韓文化開放 ・ノーベル平和賞受賞、外国為替危機克服
16	盧 武鉉(노무현)	2003 ～ 2008	・参与政府 ・弁護士出身で、市民活動家として活躍 ・韓国の歴代大統領で初めて日本統治時代を経験していない世代の大統領
17	李 明博(이명박)	2008 ～ 2013	・実用政府 ・朝鮮半島4大河川事業を主導
18	朴 槿恵(박근혜)	2013 ～ 2017	・朝鮮半島4大河川事業を主導 ・朴正煕大統領の娘 ・チェスンシルゲート事件により憲政史上初の大統領罷免(ろうそくデモ)
19	文 在寅(문재인)	2017 ～ 2022	・弁護士出身で、市民活動家として活躍 ・主な政策としては、北朝鮮に対する緩和政策と労働者の最低賃金引き上げ
20	尹 錫悅(윤석열)	2022 ～	

Chapter 03

한국의 언어

韓国の言語

창의적이고 과학적인 문자 한글

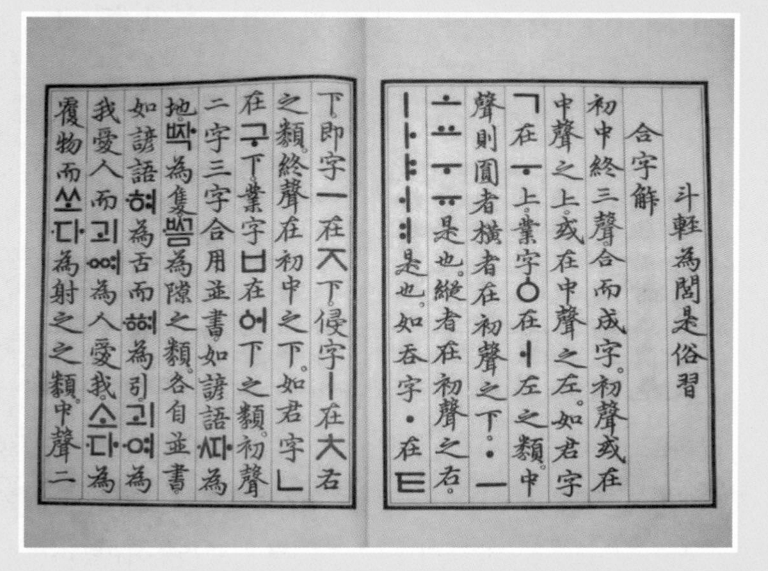

斗輕為閭是俗習

合字解

初中終三聲合而成字。初聲或在中聲之上。或在中聲之左。如君字ㄱ在ㅜ上。業字ㆁ在ㅓ左之類。中聲則圓者橫者在初聲之下。ㆍㅡㅗㅛㅜㅠ是也。縱者在初聲之右。ㅣㅏㅑㅓㅕ是也。如呑字ㆍ在ㅌ

下。即字ㅡ在ㅈ下。侵字ㅣ在ㅊ右之類。終聲在初中之下。如君字ㄴ在구下。業字ㅂ在어下之類。初聲二字三字合用並書。如諺語ᄯᅡ為地。ᄧᅡᆨ為隻。ᄢᅳᆷ為隙之類。各自並書如諺語혀為舌而ᅘᅧ為引。괴ᅇᅧ為我愛人而괴여為人愛我。소ᄃᆞ為覆物而쏘ᄃᆞ為射之之類。中聲二

한글의 비밀!

한글의 자음과 모음의 원리를 이용해서 어떤 낱말을 만들 수 있을까요?

학습목표

- 한국의 문자와 말의 특징에는 어떤 것이 있는지 이해할 수 있다.
- 한국의 사투리의 특징에 대해 이야기할 수 있다.
- 한국어와 일본어의 호칭 사용법에 대해 비교할 수 있다.

읽어 보기

한국어는 한반도와 중국 일부 지역 자치주 등에서 주로 한민족이 모국어로 사용하는 언어를 말합니다. 한국어는 분단국가라는 정치적 상황에 따라 대한민국(한국)에서는 한국어 또는 한국말이라고 하고, 조선 민주주의 인민공화국(북한)에서는 조선어 또는 조선말이라고 부릅니다. 하지만 서로 의사소통에 전혀 문제가 없으며 소수의 단어를 빼고는 모든 언어와 문법이 일치합니다.

한국의 고유한 문자인 한글은 1443년 조선 시대 제4대 왕인 세종대왕에 의해 만들어졌습니다. 한글이 만들어지기 전에는 중국에서 글자를 빌려와 사용했습니다. 하지만 한자가 일반인들이 배우기에는 너무 어렵다고 하여 누구나 쉽게 배울 수 있는 한글이 만들어졌습니다. 만들어졌을 당시에는 언문(諺文)이라는 이름으로 불리기도 했습니다. '한글'의 '한'은 '바르다 · 하나 · 큰 · 으뜸' 이라는 뜻입니다. 한글을 만든 원리와 사용방법은 "훈민정음"이라는 책에 기록이 남아있는데 이 "훈민정음"은 1997년에 유네스코의 세계기록 문화유산으로 지정되었습니다.

현재 한국어는 서울말을 표준어와 공용어로 하고 있으며 그 외에도 지역 방언(사투리)이 있습니다. 예를 들면, 경상도와 강원도 영동지역에서 사용되는 동남방언, 전라도 지역에서 사용되는 서남방언, 제주도 지역에서 사용되는 제주방언, 경기도(서울 포함)를 중심으로 하여 그 주변 지역인, 충청도 및 강원도 영서 지역에서 쓰는 중부방언이 있습니다. 방언은 지역별로 억양이나 어휘에 차이가 보입니다.

강원도는 억양이 세며 강한 말투입니다. 충청도는 억양이 부드럽고 말이 느리며 말꼬리를 길게 늘여서 말합니다. 그리고 전라도는 다양한 추임새와 함께 말이 짧고 간결합니다. 경상도는 억양이 주로 앞으로 오고 말이 짧고 억양이 강해서 싸우는 듯한 어투라 오해받기 쉽습니다. 제주도는 다른 방언들과 비교해서 어휘가 아주 달라서 의사소통이 안 될 정도로 이해하기 어렵습니다.

한국어는 상대방의 나이 차나 지위의 상하 관계 · 친소관계 등만이 아니라 여러 가지 상황에 맞추어 사용해야 합니다. 그리고 가족이라도 자기보다 연상의 사람이라면 경어를 사용하는 것이 일반적입니다. 호칭에서는 나이가 비슷하거나 친하지 않은 사람을 부를 때는 '이름+씨'라고 부르며, 교수, 기사, 판사, 변호사 등의 직업은 '직업+님'으로 부릅니다. 단 의사는 '의사님'이라고 부르지 않고 '의사 선생님'이라고 부르는 것이 일반적입니다. 직장에서 자신보다 높은 직급의 사람은 '직함+님'으로 부르고 자신보다 낮거나 같은 직급의 사람은 '성+직함'으로 부릅니다. 또한 '오빠', '형', '누나', '언니' 등의 단어들이 반드시 가족에게만 쓰는 것이 아니고 학교 선배, 공연장에서 아이돌에게도 언니, 오빠 등의 호칭을 쓰기도 합니다. 그리고 식당이나 옷 가게 등의 직원에게 '이모'나 '언니' 등의 호칭을 쓰는 경우도 있습니다.

어휘 확인하기

참고 어휘 参考語彙

␣ 자치주	自治州
␣ 한민족	韓民族
␣ 소수	少数
␣ 세종대왕	世宗大王（李氏朝鮮の第4代国王）
␣ 유네스코 세계기록 문화유산	ユネスコ世界記録文化遺産
␣ 표준어	標準語
␣ 공용어	公用語
␣ 동남방언	東南方言
␣ 서남방언	西南方言
␣ 제주방언	済州島の方言
␣ 중부방언	中部の方言
␣ 어휘	語彙
␣ 추임새	その言葉自体には意味のない、口癖のようにふとついて出てくる言葉（日本語の「えーっと」「まぁ」「うんっと～」など）
␣ 아이돌	アイドル

학습 어휘 学習語彙

❏ 언어	言語	❏ 지정되다	指定される
❏ 정치적	政治的	❏ 방언(사투리)	方言、なまり
❏ 조선어	朝鮮語	❏ 포함	含む、込み
❏ 전혀	全然	❏ 간결하다	簡潔だ
❏ 단어	単語	❏ 오해받다	誤解される
❏ 빼다	除く	❏ 상하관계	上下関係
❏ 문법	文法	❏ 친소관계	親疎関係
❏ 일치하다	一致する	❏ 일반적	一般的
❏ 빌려오다	借りてくる	❏ 호칭	呼称、呼び方
❏ 일반인	一般人	❏ 친하다	親しい
❏ 배우다	習う	❏ 교수	教授
❏ 쉽게	たやすく、簡単に	❏ 기사	運転手
❏ 지위	地位	❏ 판사	判事
❏ 불리다	呼ばれる	❏ 변호사	弁護士
❏ 으뜸	一番、第一、最上	❏ 직급	職級、職場での地位
❏ 원리	原理	❏ 공연장	公演会場
❏ 사용방법	使用方法		

표현 表現

❏ –기 전에	～する前に
❏ –(으)로 부르다	～で呼ぶ
❏ 기록이 남아있다	記録に残っている
❏ 차이가 보이다	違いが見える
❏ 억양이 부드럽다	抑揚が柔らかい
❏ 말이 느리다	言葉がゆっくりである
❏ 말꼬리를 늘이다	語尾を伸ばす
❏ 말이 짧다	言葉が短い
❏ 억양이 강하다(세다)	抑揚が強い
❏ –기 쉽다	～しやすい
❏ –과/와 비교해서	～と比較して
❏ 의사소통이 되다(안되다)	意思疎通ができる（できない）
❏ –기 어렵다	～するのが難しい
❏ 상황에 맞추다	状況に合わせる
❏ –아/어야 한다	～しなければならない
❏ 나이가 비슷하다	年が近い

본문 확인하기

❶ 본문을 읽고 다음 질문에 답하세요.

(1) '한글'의 '한'은 무슨 의미입니까?

(2) 현재 한국어의 표준어는 어떤 지역의 말입니까?

❷ 본문 내용과 맞으면 ○, 틀리면 × 하세요.

(1) 한글은 세종대왕이 1443년에 만들었다. ( )

(2) "훈민정음"은 한글을 만든 원리와 사용방법 등을 설명한 책이다. ( )

(3) 한국과 북한에서 쓰여지고 있는 문법과 어휘는 전혀 다르다.( )

(4) 한국에서는 '오빠', '형', '누나', '언니'라는 호칭은 반드시 친족관계에서만 사용한다. ( )

목불식정(目不識丁)

아는 것이 없는 무식한 사람

❀ 낫 놓고 기역자도 모른다

❀ 一丁字を知らず、いろはのいも知らない、何も知らない

들어 보기

❶ 한글의 특징에 대한 설명입니다. 내용을 듣고 맞는 것을 모두 고르세요. (　　　　　　)　3-1

(1) 한글은 표음문자이다.

(2) 한글의 모음은 발음 기관의 형태를 기본으로 만들어졌다.

(3) 한글의 자음은 하늘과 땅과 사람을 기본으로 만들어졌다.

(4) 한글은 음절 단위로 모아쓰는 특징이 있다.

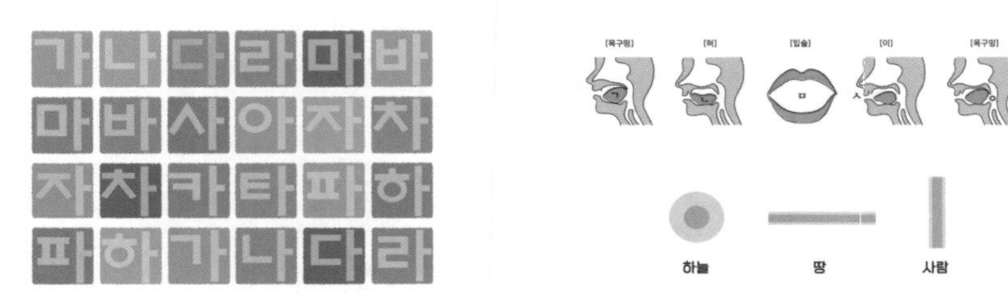

표음문자 表音文字	기호 記号	발음기관 発音器官
형태 模様	음절단위 音節単位	

❷ 대화를 듣고 "안녕하세요?"의 사투리와 맞는 지역을 선으로 연결하세요.　3-2

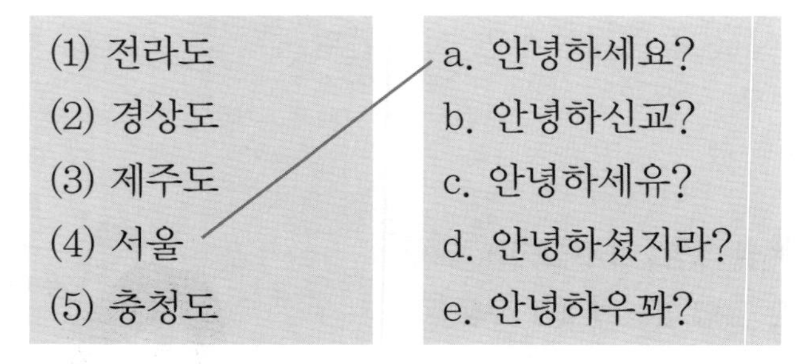

알아보다 調べてみる	인사하다 挨拶する

이야기해 보기

❶ 한국에서는 사투리를 이용한 재미있는 상표나 상품이 있습니다. 부산과 경남지역의 "좋다카이(좋지 않니?)" 소주가 그런 예의 하나입니다. 여러분의 주변에 사투리를 사용한 재미있는 상표나 상품이 있는지 알아보세요. 그리고 그 이유도 써 보세요.

❷ 최근에 생겨서 유행하는 말을 신조어라고 합니다. 한국에서는 '치맥(치킨+맥주)'이라는 말이 있습니다. 일본에서 유행하는 신조어에는 어떤 것들이 있는지 이야기해 보세요.

신조어	의미

コラム

말싸움（口げんか）

韓国人は、“목소리가 큰 사람이 이긴다（声が大きい人が勝つ）”という言葉をよく使います。日本では泰然自若（たいぜんじじゃく）といってゆったりと落ち着き平常と変わらない様子でいるのが大物と言われますが、韓国では話し合いの時、自分の主張をきちんと表現したがる人が多いです。そのせいか、韓国では町の中で大声を出して口げんかをする人をよく見かけます。特に交通事故の場面では、たとえ自分に過ちがあったとしても、自分の立場を訴えながら声を大きく荒げ周囲の同情を誘って争う人も珍しくないようです。

Chapter

04

한국인의 예절과 커뮤니케이션

韓国人の礼儀作法とコミュニケーション

커뮤니케이션의 기본은 상호소통

인사 예절!

인사는 사람과 사람의 만남에서 이루어지는 여러가지 의례화된 언어 및 행동 규범을 말합니다.

학습목표

- 한국인의 인사 예절에는 어떤 것이 있는지 이해할 수 있다.
- 한국식 주도(酒道)의 특징에 대해 이야기할 수 있다.
- 한국인과 일본인의 커뮤니케이션 스타일 차이에 대해 비교할 수 있다.

일상생활에서 가장 기본이 되는 예절은 인사입니다. 인사는 상대방을 인정하고 존경하며 반가움을 나타내는 표현의 하나입니다. 한국에서는 윗사람과 아랫사람, 친한 사람과 그렇지 않은 사람에 따라 인사하는 방법이 다릅니다. 요즘은 악수하는 것이 일반적이지만 한국에서의 전통적인 인사는 절입니다. 한국인의 절의 예절은 모두 공수(拱手)로부터 시작됩니다. 공수란 어른에게 공경의 뜻을 나타내기 위하여 배꼽 밑에 두 손을 모으는 자세를 가리킵니다. 한국인의 인사말은 일반적으로 "안녕하세요?" 이지만, 제일 많이 쓰이는 말로는 "밥 먹었니?", "식사하셨어요?"입니다. 또 오다가다 아는 사람을 만날 경우 많이 쓰이는 인사로는 "어디 가?", "어디 가세요?"가 있습니다. 그리고 헤어질 때 하는 인사 중에는 "들어가~", "들어가세요"라는 말로 인사를 대신하는 경우도 있습니다.

그러면 한국적 커뮤니케이션의 특징에는 무엇이 있을까요? 한국에서는 격식과 공손함을 강조하는 유교적 전통의 영향이 강하기 때문에 부모와 자식, 스승과 제자, 선후배, 연장자와 연소자 등의 상하 관계가 중요합니다. 그렇기 때문에 특히 윗사람과 함께하는 자리에서는 지켜야 할 것들이 많습니다. 먼저 인사를 할 때는 윗사람에게 아랫사람을 먼저 소개하고 악수를 할 때는 보통 윗사람이 먼저 악수를 청합니다. 식사 때는 어른이 먼저 수저를 든 다음 먹기 시작하여 윗사람과 식사 속도를 맞춰야 합니다. 특히 술 마실 때의 예절을 "주도"라고 하는데 어른과 함께 술을 마실 때 먼저 윗사람의 빈 잔에 술을 따라야 합니다. 술을 따를 때는 술병을 양손으로 잡고 따라야 하며 윗사람이 술을 따라 줄 때는 양손으로 잔을 잡고 술을 받아야 합니다. 그리고 술잔이 상대방에게 보이지 않도록 하는 것이 예의입니다. 그래서 몸을 돌려 술을 마셔야 합니다.

또한 윗사람과 함께 갈 때는 먼저 걷지 않고 뒤를 따라 걷는 것이 예의입니다. 그 외에 한국에서는 지하철이나 버스 차량에 나이 드신 어르신이나 임산부, 장애인 등을 위한 교통약자석이 따로 있습니다. 교통약자석에 젊은 사람이 앉는 경우는 많지 않으며 사회적인 예절로서 그들이 언제든지 앉을 수 있도록 자리를 비워둡니다.

한편 한국인은 개인의 감정 표현에 있어서 직접적으로 의사소통하는 것을 선호합니다. 그래서 한국에서는 스킨십이 친근감의 표현 방법으로 자연스럽게 받아들여집니다. 동성끼리라도 거리에서 팔짱을 끼고 걷거나 반갑게 손을 잡거나 포옹을 하는 모습을 쉽게 볼 수 있습니다. 또한 한국인의 중요한 커뮤니케이션 특징으로 체면과 인맥을 들 수 있습니다. 한국인은 공동체를 의미하는 "우리"에 속한 사람들에게 호의적이지만 우리 밖에 있는 "남"에게는 차가운 편입니다. 그래서 한국에서는 지연, 학연, 개인적인 인연 등의 인맥을 통해 친밀한 관계를 맺기도 합니다.

어휘 확인하기

참고 어휘 参考語彙

❏ 윗사람	目上
❏ 아랫사람	目下
❏ 격식	格式
❏ 유교적 전통	儒教的伝統
❏ 스승과 제자	師弟
❏ 어르신	目上の年寄
❏ 임산부	妊婦
❏ 장애인	障碍者
❏ 교통약자	交通弱者
❏ 사회적 예절	社会的マナー
❏ 동성	同性
❏ 체면	メンツ、面目、体面
❏ 인맥	人脈
❏ 호의적	好意的
❏ 지연	地縁：同じ出身地での縁
❏ 학연	学縁：同じ出身校での縁
❏ 인연	人との縁、絆

학습 어휘 学習語彙

❏ 일상 생활	日常生活
❏ 예절	礼儀
❏ 표현	表現
❏ 배꼽	へそ
❏ 헤어지다	別れる
❏ 대신하다	代わる
❏ 공손함	丁寧さ
❏ 강조하다	強調する
❏ 자식	子供、子女
❏ 선후배	先輩後輩
❏ 연장자	年長者
❏ 연소자	年少者
❏ 소개하다	紹介する
❏ 빈 잔	空いたグラス
❏ 술병	酒瓶
❏ 상대방	相手
❏ 차량	車両
❏ 언제든지	いつでも
❏ 직접적	直接的
❏ 선호하다	好む
❏ 모습	姿
❏ 남	他人
❏ 개인(적)	個人（的）

표현 表現

❏ 반가움을 나타내다	嬉しさを表す
❏ −기 위하여	〜するために
❏ 두손을 모으다	両手を合わせる
❏ 영향이 강하다	影響力が強い
❏ 함께하는	一緒にする
❏ 악수를 청하다	握手を求める
❏ 속도를 맞추다	速度を合わせる
❏ 술을 따르다	お酒を注ぐ
❏ 양손으로 잡다	両手で握る
❏ 몸을 돌려서	体を横に回して
❏ 뒤를 따라	後ろを追って
❏ 나이 들다	年をとる
❏ −을/를 위한	〜のための
❏ −ㄹ/을 수 있도록	〜することができるよう
❏ 자리를 비우다	席を外す
❏ 팔장을 끼다	腕を組む
❏ 포옹을 하다	ハグをする
❏ 친밀한 관계를 맺다	親密な関係を結ぶ

본문 확인하기

❶ 본문을 읽고 다음 질문에 답하세요.

(1) 일상생활에서 가장 기본이 되는 예절은 무엇입니까?

(2) 술 마실 때의 예절을 무엇이라고 합니까?

❷ 본문 내용과 맞으면 ○, 틀리면 × 하세요.

(1) 한국인이 상하관계를 중요시하는 것과 유교적 전통과는 아무런 관계가 없다. ( )

(2) 한국에서는 스킨십이 친근함의 표현 방법으로 자연스럽게 받아들여진다. ( )

(3) 한국은 개인주의 사회이기 때문에 공동체를 의미하는 "우리"는 인간관계에 있어서 그다지 의미를 가지지 않는다. ( )

(4) 한국에서는 윗사람과 함께 갈 때는 먼저 걷는 것이 예의이다.( )

역지사지(易地思之)

상대방의 처지나 입장에서 먼저 생각해 보고 이해하기

❀ 가는 말이 고아야 오는 말이 곱다

❀ 魚心あれば水心。発する言葉に応じた言葉が返って来る

들어 보기

❶ 한국의 식사예절에 관한 이야기입니다. 내용을 듣고 맞으면 ○, 틀리면 × 하세요. 4-1

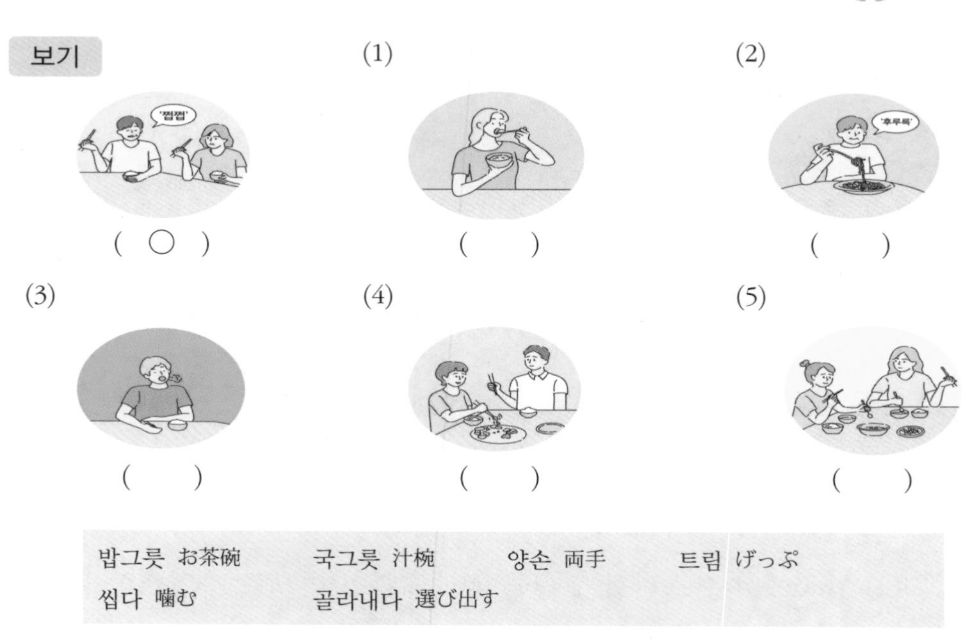

보기 (○)

(1) (   )

(2) (   )

(3) (   )

(4) (   )

(5) (   )

밥그릇 お茶碗	국그릇 汁椀	양손 両手	트림 げっぷ
씹다 噛む	골라내다 選び出す		

❷ 한국의 상차림에 대한 대화입니다. 내용을 듣고 밥, 국, 숟가락, 젓가락을 어디에 놓으면 되는지 위치를 고르세요. 4-2

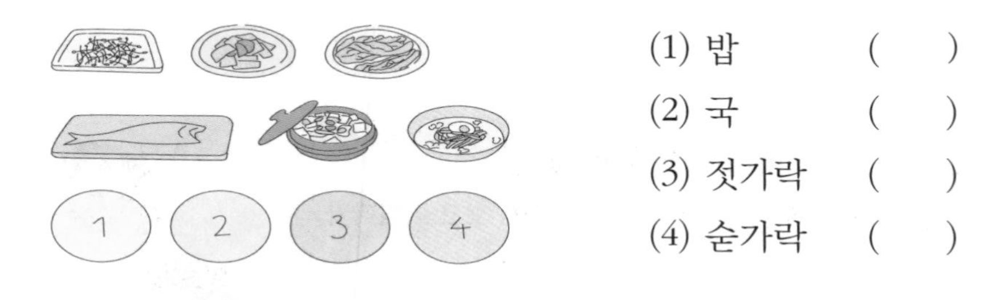

(1) 밥 (   )

(2) 국 (   )

(3) 젓가락 (   )

(4) 숟가락 (   )

밥상 食卓、食事をするテーブル	수저 匙と箸

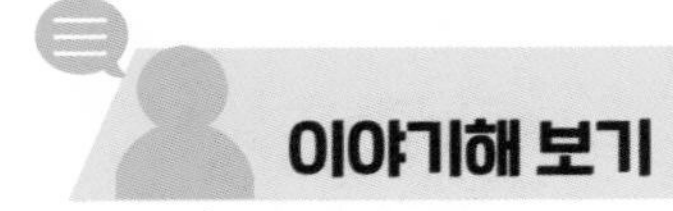

이야기해 보기

❶ 한국 사람들은 여러 사람들이 모여 찌개나 탕 종류의 음식을 숟가락으로 함께 떠먹는 습관이 있습니다. 일본의 식사 습관에는 어떤 것이 있는지 이야기해 보세요.

❷ 일본에서는 식사할 때나 술 마실 때 하면 안 되는 행동이 있습니까? 한국과 비교해서 이야기해 보세요.

	같은 점	다른 점
식사		
술		

コラム

弔問の挨拶マナー

韓国では、お辞儀をするときに両手を体の前で重ねますが、それを공수(拱手)といいます。普段は、男性は右手が上、女性は左手が上にくるように手を重ねます。ただし、弔問時は手の位置を逆とするのが礼儀です。また通夜や葬式場では、お酒を飲むときにグラスをぶつけて乾杯する行為は絶対にしてはいけません。それは乾杯がその場にいる人と一緒に互いの健康や発展、幸福などを祈るための行為だからです。

通夜や葬儀でのお辞儀

男性

① 姿勢を正し、右手が上になるように拱手する。② 拱手した手を目の高さまで上げる。③ 左足を少し後ろに引きながら拱手した手を床につき、膝まずく。④ 体を前のほうに深く傾けながらお辞儀をする。

女性

① 姿勢を正し、左手が上になるように拱手する。② 拱手した手を目の高さまで上げる。③ 拱手した手を目の高さに上げたまま膝まずいて座る。④ 体を前のほうに深く傾けながらお辞儀をする。

한국의 생활문화

Chapter

05

한국인의 통과의례

韓国人の通過儀礼

사람이 태어나서 자라고 죽는 과정에서 행해지는 의례 (儀礼)

김 홍도 작「신 행」

인륜지대사(人倫之大事)!

인생에서 가장 중요한 일 중 하나로 꼽히는 결혼.

어떤 식의 결혼식을 하고 싶나요?

학습목표

◆ 통과의례의 의미에 대해 이해할 수 있다.

◆ 한국인의 통과의례의 특징에는 어떤 것이 있는지 이야기할 수 있다.

◆ 한국인과 일본인의 통과의례의 차이에 대해 비교할 수 있다.

사람이 태어나서 죽을 때까지 일어나는 중요한 과정을 통과의례라고 합니다. 통과의례는 개인이 생활하는 사회 안에서의 신분 변화와 새로운 역할을 의미합니다. 현재 한국에서 행해지는 통과의례는 조선 시대의 영향을 많이 받고 있습니다. 따라서 유교에서의 효를 그 근본으로 하고 있으며, 자손이 대대로 번성하고 조상을 받드는 행사가 많습니다. 그중에서도 한국인에게 가장 중요한 통과의례로는 출산, 돌, 결혼식(혼례), 장례식 등을 들 수 있습니다.

한국에서는 집안에 아이가 태어나면 옛날에는 대문에 새끼줄을 쳐서 새 생명이 태어난 것을 알렸습니다. 이 새끼줄을 금줄이라고 하는데 외부인의 출입을 금지하여 부정을 막으려는 주술적인 의미가 담겨 있습니다. 하지만 현재는 병원에서 출산하는 경우가 많기 때문에 이러한 풍경은 거의 찾아볼 수 없게 되었습니다.

아이의 첫 번째 생일을 '돌'이라고 합니다. 과거에는 의료 시설이 부족하여 태어나서 오래 살지 못하고 일찍 죽는 아이들이 많았습니다. 그래서 무사히 건강하게 한 살이 되는 것은 하나의 고비를 넘는 통과의례로서 중요하게 여겼습니다. 그렇기 때문에 첫 생일에는 아기에게 예쁜 돌 복을 입히고, 음식을 풍성히 차려 돌잔치를 했습니다. 잔치에서는 돌상 위에 실, 돈, 쌀, 마이크, 마우스 등을 놓고 아기에게 골라잡게 하여 아기의 미래를 점치는 돌잡이도 합니다. 현재에도 돌잔치 문화는 이어지고 있습니다.

결혼식은 '인륜지대사(人倫之大事)'라고 부를 정도로 한국인이 가장 중요하게 생각하는 행사로 신랑과 신부가 부부가 되는 것을 알리는 중요한 의례입니다. 전통적인 혼례는 복잡한 절차로 치러졌습니다만, 요즘은 결혼식장 등에서 서양식 웨딩드레스를 입고 치르는 경우가 많습니다. 하지만 전통적인 풍습인 폐백은 남아있어 결혼식을 마치고 전통혼례복을 입고 시부모님께 큰절을 올립니다. 오늘날에는 남녀평등이라는 의미에서 신랑 쪽과 신부 쪽 양가의 부모님과 친지들에게 큰절을 올리는 것이 일반적입니다.

장례식은 죽은 사람의 장례를 치르는 의식을 말합니다. 장례절차는 종교에 따라 다소 차이가 있지만 3일 동안 치르는 것이 일반적입니다. 이 기간에 친지들이 장례식장을 찾아와 죽은 이에게 예를 올리고 유족을 위로하는 문상을 합니다. 전통적인 한국의 장례문화는 땅에 시신을 묻고 묘를 만드는 매장문화였으나 점차 화장문화가 확산되면서 일반화되고 있습니다.

이 밖에도 중요한 통과의례로는 만 60세가 되는 해를 기념하는 환갑, 70세가 되는 해를 기념하는 고희, 고인을 기리는 제사도 한국인에게는 중요한 행사입니다. 환갑은 태어난 해가 돌아왔다는 의미도 있지만, 과거 평균 수명이 길지 않았기 때문에 장수를 축하하는 의미를 담아 성대하게 잔치를 열었습니다. 현재는 수명이 늘어나면서 환갑보다는 고희 잔치를 더 선호하고 직계 가족을 중심으로 간단하게 식사를 하거나 부모님께 기념 여행을 보내 드리는 방식으로 그 모습이 변화하고 있습니다.

한국인들은 친척이나 이웃이 중요한 의례를 치르면 서로 돕고자 하는 마음을 표현했는데 그중에서 부조 문화는 축의금이나 조의금 형태로 지금도 남아 있습니다.

어휘 확인하기

참고 어휘 参考語彙

❏ 통과의례	通過儀礼	❏ 예를 올리다	礼をささげる
❏ 신분 변화	身分の変化	❏ 유족을 위로하다	遺族を慰める
❏ 근본으로 하다	基にする	❏ 문상	弔問
❏ 새끼줄 치다	縄を張る	❏ 시신을 묻다	遺体を埋める
❏ 부정을 막다	厄除けする	❏ 매장문화	土葬（埋葬）文化
❏ 주술적인 의미	呪術的な意味	❏ 화장문화	火葬文化
❏ 고비를 넘다	峠を超える、山場を越える	❏ 고희	古希
❏ 돌 복	満一歳のお祝いの時に着る服	❏ 고인을 기리다	亡くなった人を忍ぶ
		❏ 제사	法事、祭祀
❏ 돌 상	満一歳のお祝いの時のご馳走	❏ 환갑	還暦
		❏ 장수를 축하하다	長寿を祝賀する
❏ 돌잔치	満一歳のお祝いパーティー	❏ 직계 가족	直系家族
		❏ 부조문화	扶助文化：ご祝儀や香典を送りあう文化
❏ 폐백	新婦が新郎側の家族に挨拶をする婚礼儀式		
		❏ 축의금	祝儀
❏ 전통혼례(복)	伝統婚礼（服）	❏ 조의금	弔慰金
❏ 큰 절을 올리다	ひざまづいてお辞儀する、深いお辞儀をする		

학습 어휘 学習語彙

❏ 역할	役割	❏ 복잡한 절차	複雑な手続き
❏ 영향	影響	❏ 풍습	風習
❏ 효	親孝行	❏ 남아있다	残っている
❏ 자손	子孫	❏ 시부모님	夫側の両親
❏ 대대로	代々	❏ 남녀평등	男女平等
❏ 번성하다	繁栄する	❏ 양가	両家
❏ 행사	行事	❏ 부모님	両親
❏ 태어나다	生まれる	❏ 친지	親戚、知人
❏ 외부인	外部の人	❏ 죽다	死ぬ
❏ 출산	出産	❏ 종교	宗教
❏ 풍경	風景	❏ 다소	多少
❏ 의료시설	医療施設	❏ 확산되다	拡散する
❏ 무사히	無事	❏ 일반화	一般化
❏ 건강하게	健康に	❏ 이 밖	その他
❏ 골라잡다	選ぶ、選び出す	❏ 간단하게	簡単に
❏ 이어지다	続く、つながる	❏ 기념여행	記念旅行

표현 表現

❑ 조상을 받들다	先祖を敬う
❑ 생명이 태어나다	新しい生命が生まれる
❑ 출입을 금하다	出入りを禁じる
❑ 중요하게 여기다	重要と考える
❑ 미래를 점치다	未来を占う
❑ 풍성히 차리다	盛大に並べる
❑ 부부가 되다	夫婦になる
❑ 결혼식을 마치다	結婚式を終える
❑ 장례를 치르다	葬儀を行う
❑ 모습이 변화하다	姿（様子）が変化する
❑ 마음을 표현하다	気持ちを表現する

본문 확인하기

❶ 본문을 읽고 다음 질문에 답하세요.

(1) 사람이 태어나서 죽을 때까지 일어나는 중요한 과정을 무엇이라고 합니까?

(2) 만 60세를 기념하는 행사를 무엇이라고 합니까?

❷ 본문 내용과 맞으면 ○, 틀리면 × 하세요.

(1) 금줄에는 외부인의 출입을 금지하여 부정을 막으려는 주술적인 의미가 담겨 있다. (　　)

(2) 한국인이 가장 중요하게 생각하는 행사중의 하나가 결혼이다. (　　)

(3) 돌 잔치는 지금은 거의 찾아볼 수 없다. (　　)

(4) 고희는 70세가 되는 생일을 말한다. (　　)

상부상조(相扶相助)

서로서로 돕기

❀ 백지장도(백지 한 장도) 맞들면 낫다

❀ たやすいことでも協力してすればよりたやすい

들어 보기

❶ 성인의 날에 관한 이야기입니다. 내용을 듣고 맞는 것을 모두 고르세요. (　　　　　　　)　5-1

(1) 한국의 성인의 날은 5월 셋째 주 월요일이다.

(2) 요즘도 성인이된 사람들은 남자는 갓을 쓰고 여자는 쪽을 져서 성인이 된 것을 기념한다.

(3) 성인이 된 여자 친구에게는 향수를 선물하기도 한다.

(4) 성인의 날은 휴일이다.

성인의 날 成人の日	갓을 쓰다 冠帽をかぶる	쪽을 지다 かんざしをさす
축하 祝賀	장미꽃 ばら	향수 香水

❷ 꿈에 대한 이야기입니다. 내용을 듣고 일치하는 것을 고르세요. (　　)　5-2

(1) 낚시하는 꿈을 자주 꾼다.

(2) 꿈에 나타난 잉어는 작았다.

(3) 태몽은 본인 만이 꿀 수 있다.

(4) 잉어 꿈은 아들 태몽이다.

신기하다 珍しい	꿈을 꾸다 夢を見る	잡다 捕まる
깜짝 놀라다 びっくりする	잠이 깨다 夢から覚める	태몽 妊娠を予期する夢（胎夢）

이야기해 보기

❶ 한국에서는 돌잡이 때 실, 돈, 쌀, 연필, 마이크, 책 등을 사용해요. 각각 어떤 의미가 있는지 알아보세요.

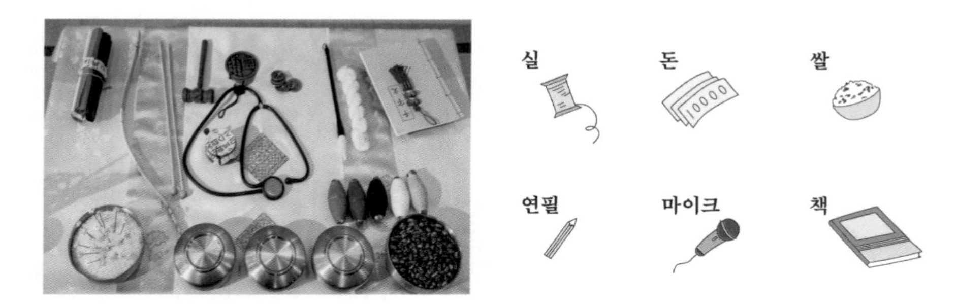

❷ 일본에는 어떤 통과의례가 있습니까? 일본인의 통과의례를 알아보고 무엇을 하는 날인지 이야기해 보세요.

행사	내용

コラム

結婚には占いでの相性も重要？！

韓国人は占い好きな人が多く、年の初めに1年の家族の運勢や恋愛、就職、商売などの運勢を占ってもらうことは珍しくありません。また、結婚する前に相手との相性を見てもらう人も多いです。占いでは生年月日や生まれた時間をもとに二人の相性を見てもらうのですが、その相性のことを「궁합（宮合）」といいます。占いの結果で出た「궁합」によっては結婚を見送る人もいるほど、韓国では占いでの相性を重要と考える人が多くいます。結婚は인륜지대사（人倫之大事）であるという考えから慎重にならざるをえないのでしょう。ちなみに「궁합」は男女の相性以外にも、「무와 메밀은 궁합이 좋다（大根とそばは相性が良い）」など、食べ合わせという意味でもよく使われます。

Chapter

06

한국의 명절과 한복

韓国の名節と韓服

세계에서 인정 받고 있는 한복

새해 인사!
새해 덕담으로 어떤 말을 듣고 싶나요?

학습목표

◆ 한국의 명절과 한복의 특징에 대해 이해할 수 있다.

◆ 한국과 일본의 명절 음식과 전통 놀이에 대해 비교할 수 있다.

◆ 한국과 일본에서 명절 연휴를 어떻게 보내는지 비교하여 이야기할 수 있다.

읽어 보기

한국에는 명절과 계절에 따라 지키는 행사(세시 풍습)들이 있습니다. 한국은 달력에서 양력과 음력 날짜를 함께 사용하고 있는데, 명절과 계절행사는 주로 음력으로 지내고 있습니다. 한국의 최대 명절로는 설날과 추석이 있습니다.

설날은 음력 1월 1일로 새해를 맞이하는 날입니다. 설날 아침에는 조상님께 차례를 지냅니다. 차례상에 올렸던 음식으로 온 가족이 식사하는데 설날에는 밥 대신 떡국을 먹습니다. 설날에 떡국을 먹는 것은 "나이를 한 살 더 먹는다"는 의미가 있기 때문입니다. 그리고 설날에는 새 옷인 설빔을 입고 웃어른께 "새해 복 많이 받으세요"라고 새해 인사를 드리는데 이것을 세배라고 합니다. 세배를 받은 어른들은 덕담을 건네고 아이들에게는 세뱃돈을 주기도 합니다.

추석은 음력 8월 15일로 '한가위'라고도 합니다. 이날은 한 해 동안의 수확에 대해 감사의 의미로 조상님께 차례를 지냅니다. 차례상에는 그해 처음 수확한 햇곡식으로 차례상을 차리고 조상의 산소에 성묘를 하러 갑니다. 추석에는 송편을 빚어 먹는데 송편을 예쁘게 빚으면 좋은 배우자를 만나거나 예쁜 아이를 낳는다는 말이 있습니다.

한국 명절의 특징으로는 먼저 전통 놀이를 들 수 있습니다. 설날에는 가족이 모여 윷놀이를 즐기기도 하고 아이들은 연날리기나 제기차기, 널뛰기를 합니다. 추석에는 풍물놀이나 씨름, 강강술래를 합니다. '유네스코 세계무형유산'으로 지정된 강강술래는 보름달 아래에서 여성들이 원을 그리면서 손을 잡고 노래를 부르는 전통놀이입니다. 한국을 대표하는 풍속으로 아리랑, 한복, K-POP과 함께 국제적 행사마다 빠지지 않고 등장합니다.

또 하나의 특징은 한국의 전통미를 상징하는 한복을 입는 것입니다. 여성 한복을 '치마저고리', 남성 한복을 '바지저고리', 아이들 한복을 '색동저고리'라고 합니다. 한복의 특징은 직선과 곡선이 어우러져 선이 아름답고 화려한 색깔의 조화에 있습니다. 특히 여성 한복의 치마와 저고리는 세계적으로 아름다움을 인정받고 있습니다.

일상적으로 한복을 입는 습관은 1960년대까지 있었습니다. 현재는 설날과 추석, 돌잔치, 결혼식, 환갑이나 고희잔치 등의 관혼상제 이외에는 한복을 입을 기회가 별로 없습니다. 1990 년대부터 현대생활에 맞춘 '개량한복'이 널리 퍼져 패션아이템으로 자리 잡았습니다. 단순화된 디자인으로 활동하기 쉬워 '생활한복'이라고도 합니다. 최근 전통문화에 대한 관심이 높아지면서 한복을 즐기는 사람도 늘고 있습니다. 또한 일부 학교에서는 개량한복을 교복으로 채택하고 있으며, 2021년부터 국립 문화예술기관을 시작으로 한복 근무복도 도입될 예정입니다.

어휘와 표현 語彙と表現

참고 어휘 参考語彙

❏ 명절	名節、伝統的な祝日
❏ 세시 풍습	歳時風習、年中行事
❏ 계절행사	季節行事
❏ 차례를 지내다	儀式を行う、祭祀を上げる
❏ 차례상에 올리다	茶礼膳（お供え用の食べ物を置く膳）に並べる
❏ 세배/세뱃돈	新年の挨拶/お年玉
❏ 덕담을 건네다	幸運や成功を祈る言葉を贈る
❏ 햇곡식	新穀、その年に新しくできた穀物
❏ 산소	お墓
❏ 성묘	墓参り
❏ 윷놀이	ユンノリ（すごろくの一種）
❏ 제기차기	蹴りあげる遊び、蹴り玉、羽根蹴り
❏ 널뛰기	板跳び
❏ 풍물놀이	風物遊び
❏ 씨름	シルム、韓国の相撲
❏ 강강술래	カンガンスルレ（韓服を着て手を繋ぎあい輪になって歌いながら踊る伝統遊び）
❏ 세계무형 유산	世界無形遺産
❏ 보름달	満月
❏ 풍속	風俗
❏ 아리랑	アリラン（韓国民謡）
❏ 전통미	伝統美
❏ 색동저고리	子供用の韓服（袖に5色の縞模様がある）
❏ 직선	直線
❏ 곡선	曲線
❏ 관혼상제	冠婚葬祭
❏ 개량한복	改良韓服（韓服を現代的にアレンジし、日常生活でも着やすいようにしたもの）
❏ 송편을 빚다	(小豆、ゴマ、栗などのあんを入れた)半月形のうるし餅を作る

학습 어휘 学習語彙

❏ 달력	カレンダー	❏ 화려하다	華麗だ
❏ 양력	西暦	❏ 색깔	色合い
❏ 음력	旧暦	❏ 조화	調和
❏ 날짜	日にち	❏ 인정받다	認められる、認定される
❏ 설날	お正月、元旦	❏ 일상적	日常的
❏ 대신(에)	代わり（に）	❏ 습관	習慣
❏ 추석/한가위	秋夕、中秋	❏ 이외	以外
		❏ 기회	機会
❏ 떡국	トック、餅のスープ、お雑煮	❏ 맞추다	合わせる
		❏ 퍼지다	広がる
❏ 웃어른	目上の人	❏ 단순화되다	簡略化される・単純化される
❏ 새해 인사	新年の挨拶		
❏ 온 가족	家族全員	❏ 활동하다	活動する
❏ 배우자	配偶者	❏ 늘다	増える
❏ 전통놀이	伝統遊び	❏ 일부	一部
❏ 등장하다	登場する	❏ 교복	制服
❏ 또/또한	また	❏ 채택하다	採択する
❏ 상징하다	象徴する	❏ 근무복	勤務服
❏ 어우러지다	調和をなす	❏ 도입되다	導入される

표현 表現

❏ –에 따라	～によって	
❏ 새해를 맞이하다	新年を迎える	
❏ –마다	～ごとに	
❏ –는데	～だが	
❏ 나이를 한 살 더 먹다	一つ年を取る	
❏ –기 때문이다	～するためだ	
❏ 설빔을 입다	お正月の晴れ着を着る	
❏ 새해 복 많이 받으세요	明けましておめでとうございます	
❏ –에 대해	～に対して	
❏ 아이를 낳다	子供を産む	
❏ 원을 그리다	円を描く	
❏ 함께	一緒に	
❏ 빠지지 않다	欠かさない	
❏ –는 것이다	～することだ	
❏ 별로 없다	あまりない	
❏ 관심이 높다	関心が高い	

본문 확인하기

❶ 본문을 읽고 다음 질문에 답하세요.

(1) 설날 웃어른께 드리는 새해 인사를 무엇이라고 합니까?

(2) 추석을 다른 말로 무엇이라고 합니까?

❷ 본문 내용과 맞으면 ○, 틀리면 × 하세요.

(1) 한국의 설날은 양력 1월 1일이다. ( )

(2) 설날에는 떡국을 먹는다. ( )

(3) 한복은 선이 아름답고 화려한 색깔의 조합이 특징적이다. ( )

(4) 한복은 관혼상제 때만 입는다. ( )

오곡백과(五穀百果)

더도 말고 덜도 말고 늘 한가위만 같아라

❀ 벼 이삭은 익을 수록 고개를 숙인다

❀ 実るほど頭の下がる稲穂かな

들어 보기

❶ 다음 내용은 무엇에 대한 이야기입니까? 내용을 듣고 ( ) 안에 알맞은 단어를 써 보세요. 6-1

한국은 명절 연휴가 되면 ( ) 이라고 할 정도로 전국의 도로와 철도, 공항은 고향으로 가는 사람들로 북적인다.

친척 親戚　　북적이다 混む　　자식 子（娘と息子）　　역귀성 逆帰省

❷ 친구 집에서 나누는 대화입니다. 내용을 듣고 맞는 것을 모두 고르세요. ( ) 6-2

(1) 조카가 색동저고리를 입고 있다.

(2) 아이가 화려하고 예쁘다.

(3) 색동의 색깔에는 건강을 기원하는 의미가 있다.

(4) 색동저고리는 어른들이 입는 한복이다.

조카 甥　　화려하다 華やか　　기원하다 祈願する
색동 セクトン(色とりどりに複数の色を組み合わせもの)

이야기해 보기

❶ 일본의 전통 명절에는 어떤 음식을 먹고 어떤 놀이를 합니까? 알아보고 이야기해 보세요.

❷ 한국에서는 명절 연휴를 보내는 습관이 많이 변화하고 있습니다. 일본은 어떻게 변화하고 있는지 이야기해 보세요.

コラム

「명절증후군（名節症候群）」ってなに？

「명절（名節）」というのは、韓国の伝統的な祝祭日のことです。韓国では旧暦1月1日の「설날（旧正月）」と、8月15日の「추석（秋夕）」が二大名節と言われており、それぞれ日本の元旦とお盆にあたります。名節の時には、帰省における長時間運転や家事労働、親戚付き合いのストレスなど、様々な負担があります。そして特にこのような名節前後の身体的・精神的な疲れにより発生する疾患のことを「명절증후군(名節症候群)」といいます。具体的には頭痛やめまい、胃のむかつき、消化不良のような症状が現れ、このような症状は、名節の期間家事を担当する며느리（嫁）たちによく見られます。2019年に公開された映画『82년생 김지영（82年生まれ、キム・ジヨン）』にもこのような名節での一場面が登場します。この物語の中では、女性が社会で直面する様々な困難や差別が克明に描かれており、女性の生きづらさが浮き彫りになっています。皆が楽しい名節を過ごすためには、相手を配慮する思いやりの気持ちが大切と言えるのではないでしょうか。

Chapter 07

한국의 음식

韓国の食

건강 제일의 한식

조화로운 멋과 맛!

한국의 대표적인 음식 비빔밥을 먹어 본 적이 있나요?

학습목표

- ◆ 한국의 음식 문화에 대해 이해할 수 있다.
- ◆ 한국 음식을 통해 한국인의 정체성을 이해할 수 있다.
- ◆ 일본에서 유명한 한국 음식에 대해 이야기할 수 있다.

한국 사람들은 건강을 최우선으로 해야 한다는 의식을 갖고 음식을 만듭니다. 세계적으로 잘 알려진 건강식으로는 김치와 비빔밥을 들 수 있습니다.

김치는 1500년 이상의 역사를 가진 전통 음식으로, 배추 등의 채소에 다양한 양념(소금, 고추, 젓갈, 마늘 등)을 첨가하여 숙성시킨 발효식품입니다. 예전에는 저장 기술이 발달하지 않고 겨울 채소가 귀했기 때문에 김치가 중요한 비타민 공급원이었습니다. 현재 김치는 300종이 넘는 것으로 알려져 있는데 지역마다 다양한 요리법과 재료를 사용하여 향토 음식으로서의 정체성 또한 갖고 있습니다.

김치는 비타민 외에 섬유질과 미네랄도 풍부하게 포함되어 있기 때문에 신진대사가 좋아져 다이어트에 효과가 있습니다. 또한 장내 환경 개선과 미용에도 효과가 있다는 점에서 2006년 미국의 건강 연구지 헬스지에서 세계 5대 건강식품으로 뽑혔습니다. 한국에서는 매년 늦가을에 대량의 김치를 담급니다. 이것을 '김장'이라고 하며, 2013년 유네스코 무형 문화유산으로 등록되었습니다. 또한 한국의 각 가정에서는 김치전용냉장고가 필수품입니다.

비빔밥은 밥 위에 갖가지 나물과 고기볶음, 튀각 등을 올려 비벼 먹는 음식입니다. 비빔밥은 재료가 최대한 손상하지 않고, 고유의 맛들이 한데 어우러져 나오는 매력을 갖고 있습니다. 비빔밥의 '비빔'에는 '섞다'라는 의미가 있으며 비빔밥이 문헌에 나타나기 시작한 것은 1800년대 말부터입니다. 제사나 품앗이 등에서 모두가 다 같이 한 그릇에 각종 음식을 넣어 비벼서 나눠 먹는 문화에서 비롯된 한국인의 공동체 의식을 잘 나타내는 음식이기도 합니다.

비빔밥은 지역마다 고유한 특징을 가지고 있으며 그중 특히 전주 비빔밥이 유명합니다. 채소와 고기의 조합이 잘 어우러진 비빔밥은 다이어트 식품으로도 인정을 받으면서 국내외를 막론하고 전 세계 사람들의 입맛을 사로잡고 있습니다.

한국에서는 가볍게 먹을 수 있는 분식도 인기가 많습니다. 길거리에는 프랜차이즈로 운영되는 김밥집이 많은데 그 종류가 10여 가지가 넘습니다. 먹기에도 간편하고 다양한 재료를 넣어 영양도 풍부한 음식이라서 인기가 많습니다. 그리고 요즘은 배달 앱을 사용하여 음식을 쉽게 배달시켜서 먹을 수 있습니다. 종류도 많고, 배달 속도도 빠르고 가격도 쌉니다. 영업시간 내라면 심야에도 배달해 주는 가게가 많아서 전화 한 통으로도 주문이 가능합니다. 속도를 중시하는 한국 특유의 빨리빨리 정신과 어디든지 배달해 주는 유연함과 강인함이 오늘의 배달 문화를 지탱하고 있는지도 모르겠습니다.

어휘와 표현 語彙と表現

참고 어휘 参考語彙

❏ 배추	白菜	❏ 김장	キムジャン
❏ 양념	ヤンニョム、調味料	❏ 무형문화유산	無形文化遺産
❏ 젓갈	魚介塩辛	❏ 전용	専用
❏ 마늘	ニンニク	❏ 필수품	必須品
❏ 발효 식품	発酵食品	❏ 고기볶음	肉の炒めもの
❏ 저장 기술	保存技術	❏ 튀각	ティガク（昆布や野菜の干し揚げ）
❏ 비타민	ビタミン		
❏ 공급원	供給源	❏ 문헌	文献
❏ 재료	材料	❏ 품앗이	仕事の助け合い
❏ 향토 음식	郷土料理	❏ 공동체 의식	共同体意識
❏ 정체성을 갖다	アイデンティティを持つ	❏ 전주비빔밥	全州ビビンバ
❏ 섬유질	食物繊維	❏ 조합	組み合わせ
❏ 미네랄	ミネラル	❏ 국내외	国内外
❏ 신진 대사	新陳代謝	❏ 분식	粉食、軽食
❏ 장내	腸内	❏ 김밥집	キムパの店
❏ 환경 개선	環境改善	❏ 영양	栄養
❏ 연구지	研究誌	❏ 배달 앱	出前アプリ
❏ 헬스지	ヘルス誌（健康雑誌）	❏ 가격	価額、値段
❏ 한데 어우러지다	ひとつに混ざり合う、調和をなす	❏ 김치를 담그다	キムチを漬ける

학습 어휘 学習語彙

❏ 최우선	最優先	❏ 섞다	混ぜる
❏ 알려지다	知られる	❏ 나타나다	現れる
❏ 건강식	健康食	❏ 다 같이	みんなで
❏ 들다	挙げる	❏ 한 그릇	一杯
❏ 채소	野菜	❏ 각종	各種、様々な
❏ 다양하다	多様だ	❏ 나누다	分ける
❏ 소금	塩	❏ 비롯되다	由来する、始まる
❏ 고추	唐辛子	❏ 나타내다	表す
❏ 첨가하다	添加する	❏ 막론하다	問わない
❏ 숙성시키다	熟成させる	❏ 가볍게	軽く
❏ 예전에는	かつては	❏ 운영되다	運営される
❏ 발달하다	発達する	❏ 종류	種類
❏ 귀하다	貴重だ	❏ 넘다	超える
❏ 지역마다	地域ごとに	❏ 간편하다	手軽で便利だ
❏ 요리법	レシピ、料理法、調理法	❏ 배달시키다	出前を取る
❏ 풍부하게	豊富に	❏ 영업	営業
❏ 포함되다	含まれる	❏ 심야	深夜
❏ 뽑히다	選ばれる	❏ 중시하다	重視する
❏ 늦가을	晩秋	❏ 특유	特有
❏ 대량	大量	❏ 빨리빨리	早く早く
❏ 가정	家庭	❏ 어디든지	どこにでも
❏ 최대한	最大限	❏ 유연함	柔軟さ
❏ 손상하다	傷む	❏ 강인함	タフさ
❏ 매력	魅力	❏ 지탱하다	支える

표현 表現

❏ 의식을 갖다	意識を持つ	
❏ 역사를 가지다	歴史を持つ	
❏ -ㄴ/은데	～だが	
❏ -아/어 있다	～ている	
❏ -기 때문에	～ので、から	
❏ 고유의 맛	独自の味	
❏ -기 시작하다	～し始める	
❏ 입맛을 사로 잡다	味覚を魅了する	
❏ 10여 가지	10種類あまり	
❏ -(이)라서	～なので	
❏ -(이)라면	～であれば	
❏ 전화 한 통	電話一本	
❏ -는지도 모르겠다	～のかもしれない	

본문 확인하기

❶ 본문을 읽고 다음 질문에 답하세요.

(1) 늦가을이 되면 대량의 김치를 담그는데 이것을 무엇이라고 합니까?

(2) 김치에는 어떤 효과가 있습니까?

❷ 본문 내용과 맞으면 ○, 틀리면 × 하세요.

(1) 김치는 요리법과 재료가 다양하지 않다. (　　)

(2) 비빔밥은 한국인의 공동체 의식을 잘 나타내는 음식이다. (　　)

(3) 김밥은 먹기에도 불편하고 종류가 적다. (　　)

(4) 한국에서는 영업 시간 내라면 어디든지 음식을 배달해 준다. (　　)

금상첨화(錦上添花)

좋은 일에 또 좋은 일이 더해진다

- 범에게 날개
- 鬼に金棒

들어 보기

❶ 다음은 김치 담그는 순서입니다. 내용을 듣고 순서대로 번호를 써 보세요. 7-1

(　　) → (　　) → (　　) → (　　) → (　　) → (　　)

① ② ③

④ ⑤ ⑥

배추 白菜	뿌리다 まく,かける	채를 썰다 細かく切る	
곱게 다지다 細かくみじん切りにする		김치소 キムチの素	김치통 キムチ容器

❷ 전화로 음식을 주문하는 대화입니다. 내용을 듣고 틀린 것을 고르세요. (　　　　) 7-2

(1) 한강 공원에 배달이 된다.

(2) 음식은 20분 정도 걸린다.

(3) 양념치킨 한 마리를 주문했다.

(4) 배달존에서 음식을 받을 수 있다.

배달존 デリバリーゾーン（注文した食べ物を受け取る場所）	
비닐장갑 ビニール手袋	나무젓가락 割り箸

❶ 여러분은 한국 음식을 먹어 본 적이 있습니까? 일본에서 유명한 한국 음식에 대해 이야기해 보세요.

❷ 세계 5 대 건강 식품 중에는 김치 외에 무엇이 있을까요? 알아보고 이야기해 보세요.

コラム

みなさんはカレーを混ぜて食べますか？

東アジア３カ国の食習慣を表す際に、「中国は揚げて食べる、日本は乗せて食べる、韓国は混ぜて食べる」という表現を使います。このように韓国では、ご飯とおかずと調味料を混ぜて食べる「비빔밥（ビビンバ：混ぜご飯）」のような食べ物が一般的で、これは世界の食文化の中でも、非常にユニークだと言われています。韓国人は「何でも混ぜて食べる」という特徴があり、섞어찌개（混ぜチゲ）、비빔면（ビビン麺）、국밥（クッパ：スープごはん）、짜장면（ジャージャー麺）など混ぜて食べる料理が豊富です。もちろんカレーライスを食べる時もご飯とカレーをしっかり混ぜて食べます。

また、韓国では面白いことに、カレーを注文するとカレーと一緒にキムチとたくあんが出てきます。日本では福神漬けやらっきょう漬けが出てきますよね。そしてなんと中華料理や西洋料理を注文してもやはりキムチとたくあんが付いてきます。これらを外国の人たちが見ると驚くかもしれません。私たちは顔も髪の色も似ていて、同じように箸を使って食事をしますが、同じ東アジアでも食文化の違いがはっきりわかります。もし日本でカレーを混ぜて食べている人がいたらそれは韓国人かもしれませんね。

Chapter 08

한국의 주거

韓国の住居

사회 현상에 맞춰서 변화해 온 주거문화

한옥의 조화!
한옥과 아파트가 함께 어우러진 풍경을 서울 시내에서도
찾아 볼 수 있을까요?

학습목표

- ◆ 한국의 주거양식에 대해 이해할 수 있다.
- ◆ 한국의 전통 가옥의 특징에 대해 이야기할 수 있다.
- ◆ 한국과 일본의 주거양식의 차이에 대해 비교할 수 있다.

한국에 여행을 가 본 적이 있는 사람이라면 공항에서 시내로 향하는 차 안에서 차창 밖으로 보이는 고층 아파트들의 풍경에 놀란 경험이 있지 않을까 싶습니다.

현재 한국의 주택은 절반 이상이 아파트인데, 한국은 국토가 좁고 인구밀도가 높기 때문에 좁은 땅에 많은 사람들이 생활할 수 있는 아파트의 수요가 높습니다. 1960년대부터 진행된 도시화와 핵가족화로 인해 새로운 주거양식이 필요하게 되면서 아파트 문화가 급속하게 확산하여 현대인의 대표적인 주거양식이 되었습니다. 또한 연립주택, 빌라와 같은 집합주택도 많이 생겼습니다. 80~90년대는 전통적인 대가족 사회가 점차 핵가족화되면서 가구 수가 증가했으며 인구의 도시 집중화 현상이 가속되었습니다. 이로 인한 주택 부족 현상을 해결하기 위해 아파트의 고층화 현상이 나타나기 시작했습니다. 그리고 요즘에는 비혼, 만혼 등 1인 가구 증가로 원룸이나 소형 오피스텔에 대한 수요가 지속해서 늘고 있습니다. 또한 대도시에서는 집값이 비싸기 때문에 반지하나 옥탑방, 고시원 등에서 거주하는 사람들도 적지 않습니다. 이처럼 한국의 주거문화는 근대화, 도시화, 핵가족화 등 사회적 현상에 영향을 받으면서 변화하고 있습니다.

한국의 전통적인 가옥은 '한옥'입니다. 한옥에는 자연과 조화를 이루며 살아가는 한국인의 삶의 지혜가 담겨 있습니다. 한옥은 우아한 분위기, 늘씬한 기와지붕, 햇빛과 바람이라는 자연 환경을 과학적으로 활용하고 있습니다. 흙, 돌, 종이, 나무 등을 재료로 쓰고 있으며 냉방과 난방에서도 뛰어납니다. 여름에는 마루가 있어서 바람이 잘 통하여 시원하게 지낼 수 있습니다. 그리고 겨울에는 '온돌'로 난방을 하였는데, 부엌 아궁이에 불을 때면 뜨거운 기운이 방바닥 밑으로 퍼져서 방 전체를 따뜻하게 하는 방식입니다. 이러한 온돌은 다른 나라에서는 볼 수 없는 한국의 전통적인 독특한 난방법입니다.

오늘날에는 도시화로 인해 전통 가옥에서 생활하는 사람이 거의 없지만 현대식 아파트에서도 한옥에서 사용되던 '온돌'만큼은 변형된 방식으로 사용하고 있습니다. 주거양식이 아파트나 현대식 가옥으로 바뀌어도 한국 사람들은 여전히 온돌을 선호합니다. 온돌식 난방뿐만 아니라 '온돌침대'와 같은 한국 특유의 가구만 봐도 알 수 있습니다. 한국의 주거문화를 대표하는 온돌은 그 과학성과 우수성이 세계적으로 인정받아 현재는 다른 나라에도 도입되고 있습니다.

그리고 요즘은 전통 가옥의 자연 친화적 특징으로 인해 한옥의 가치가 재조명되고 있습니다. 한옥의 친환경적 요소가 주거생활 공간으로 주목받기 시작했으며 이로 인해 전통 한옥이 도서관, 주민센터, 어린이집 등으로 다시 태어나기도 합니다.

어휘와 표현 語彙と表現

참고 어휘 参考語彙

❏ 차창 밖	車窓の外	❏ 주거문화	住居文化
❏ 도시화	都市化	❏ 삶의 지혜	生きる知恵
❏ 핵가족화	核家族化	❏ 늘씬하다	しなやかだ、すらりとしている
❏ 주거양식	住居様式	❏ 기와지붕	瓦屋根
❏ 연립주택/빌라	連立住宅/ヴィラ（4～5階立てのマンション）	❏ 아궁이	かまど
❏ 집합주택	集合住宅	❏ (불)기운	火の気
❏ 대가족 사회	大家族社会	❏ 온돌식 난방	オンドル式暖房
❏ 도시 집중화	都市集中化	❏ 온돌침대	オンドルベッド：オンドルの原理を利用したベッド
❏ 고층화	高層化	❏ 과학성	科学性
❏ 비혼	非婚	❏ 우수성	優秀性
❏ 만혼	晩婚	❏ 재조명되다	再評価される
❏ 1인 가구	単身世帯	❏ 자연 친화적	自然親和的（自然に優しい）
❏ 원룸	ワンルーム	❏ 친환경적	親環境的（環境に優しい）
❏ 오피스텔	オフィステル(office＋hotel) :住居兼事務所	❏ 주거생활 공간	住居生活空間
❏ 집값	家賃、住宅価格	❏ 주민센터	住民センター
❏ 반지하	半地下	❏ 어린이집	保育園
❏ 옥탑방	屋根裏部屋		
❏ 근대화	近代化		
❏ 고시원	コシウォン（考試院）		

학습 어휘 学習語彙

❑ 사회적 현상	社会的現象	❑ 거주하다	居住する
❑ 가옥	家屋	❑ 우아하다	優雅だ
❑ 세계적으로	世界的に	❑ 햇빛	日差し
❑ 가치	価値	❑ 자연 환경	自然環境
❑ 시내	市内	❑ 활용하다	活用する
❑ 고층 아파트	高層マンション	❑ 흙	土
❑ 놀라다	驚く	❑ 냉방	冷房
❑ 경험	経験	❑ 난방	暖房
❑ 주택	住宅	❑ 마루	床
❑ 절반	半分	❑ 부엌	台所
❑ 수요	需要	❑ 뜨겁다	熱い
❑ 진행되다	進行される	❑ 방바닥	床下
❑ 새롭다	新しい	❑ 퍼지다	広がる
❑ 급속하게	急速に	❑ 따뜻하다	暖かい
❑ 확산되다	拡散される	❑ 방식	方式
❑ 현대인	現代人	❑ 독특하다	独特だ
❑ 대표적이다	代表的だ	❑ 현대식	現代式
❑ 가구 수	世帯数	❑ 변형되다	姿・形が変わる、変化する
❑ 증가하다	増加する	❑ 여전히	相変わらず
❑ 가속되다	加速する	❑ 요소	要素
❑ 해결하다	解決する	❑ 주목받다	注目される
❑ 소형	小型		
❑ 지속하다	持続する		

표현 表現

❏ –ㄴ/은 적이 있다	～したことがある
❏ –(으)로 향하다	～に向かう
❏ –지 않을까 싶다	～ではないかと思う
❏ 국토가 좁다	国土が狭い
❏ 인구밀도가 높다	人口密度が高い
❏ –(으)로 인해	～によって
❏ –게 되다	～することになる、～するようになる
❏ –과/와 조화를 이루다	～と調和をなす
❏ –이/가 담겨 있다	～が込められている
❏ –에 있어서도	～においても
❏ 시원하게 지내다	涼しく過ごす
❏ 불을 때다	火を焚く、火をつける
❏ –뿐만 아니라	～だけでなく、～のみならず
❏ –(으)로 만들어지다	～で作られる
❏ 다시 태어나다	生まれ変わる

본문 확인하기

❶ 본문을 읽고 다음 질문에 답하세요.

(1) 한국의 전통적인 가옥을 무엇이라고 합니까?

(2) 한국의 전통적인 난방 방식을 무엇이라고 합니까?

❷ 본문 내용과 맞으면 ○, 틀리면 × 하세요.

(1) 현재 한국의 대표적인 주거양식은 아파트이다. ( )

(2) 요즘도 전통 가옥에서 사는 사람들이 아주 많다. ( )

(3) 온돌은 한국에만 있는 시스템이다. ( )

(4) 한국의 주거문화는 근대화, 도시화, 핵가족화 등의 영향을 받으면서 변화해 왔다. ( )

여세추이(與世推移)

세상이 변하는 대로 따라서 변함

❀ 십년이면 강산도 변한다

❀ 十年ひと昔

들어 보기

❶ 하우스메이트 주거형태에 대한 설명입니다. 내용을 듣고 장점이 아닌 것을 고르세요. (　　　　　　　)　8-1

(1) 경제적으로 부담을 덜 수 있다.
(2) 인간적으로 정을 쌓을 수 있다.
(3) 공간적으로 여유를 누릴 수 있다.
(4) 개인적인 프라이버시를 반드시 보장받을 수 있다.

밀집 지역 密集地域　동거하다 同居する　보증금 保証金　월세 月払い家賃
외로움을 덜다 寂しさを減らす　여유 공간을 누리다 余裕（のある）空間を満喫する

❷ 부동산중개인과의 전화 대화입니다. 내용을 듣고 유리 씨가 보려고 하는 집을 부동산 광고에서 고르세요. (　　　　　　　)　8-2

(1) **매매**

건물형태	아파트
매매가	6억
구조	방2개, 욕실2개
특징	초등학교 도보 5분

(2) **월세**

건물형태	오피스텔
월세	보증금500, 월25만원
구조	원룸
특징	남향, 지하철 역 도보10분

(3) **월세**

건물형태	오피스텔
월세가	보증금5000, 월50만원
구조	방2개, 욕실1개
특징	남향, 지하철 역 도보10분

(4) **전세**

건물형태	단독주택
전세가	3억5천
구조	방2개, 욕실2개
특징	마트, 초등학교 인접

이사오다 引っ越してくる　매매(가) 売買（価額）　전세(가) 傳貰（価額）
건물형태 建物の形態　구조 構造　남향 南向き　인접 隣接
※ 傳貰（チョンセ）大家さんに契約期間まとまったお金を預けて部屋を借りること

이야기해 보기

❶ 일본 전통 가옥의 특징에 대해서 이야기해 보세요.

❷ 한국과 일본의 난방 방법에 대해 알아보고 이야기해 보세요.

コラム

映画『パラサイト』に見る住居事情

2019年に製作された韓国映画『기생충(寄生虫)』は、アカデミー賞作品賞を始めとしたさまざまな賞を受賞し、世界的に有名になりました。日本での公開名は『パラサイトー半地下の家族』です。映画では「半地下」で生活する一家が登場しますが、このような「半地下住宅」には主に低所得者が住むイメージがあります。半地下部屋が居住用として使用されるようになったのは、ソウルの人口が急増した1980年代だと言われています（ソウルには全人口の約半数が集中しています）。

また韓国の住居事情を語るなら「고시원（考試院）」あるいは「고시텔（コシテル）」も外せないでしょう。「고시」は国家公務員試験を指し、「고시원」は試験合格に向けて勉強に集中するための住居を指します。「고시텔」は「고시원」と「호텔（ホテル）」が合わさった言葉です。日本で想像するワンルームよりもかなり狭く、ベッドと勉強机が置ける程度のスペースしかありません。これらの住居は映画やドラマにもよく出てきますが、最近では価格が安いということもあり若者や留学生の利用も増えてきています。

반지하 (半地下)

한국의 문화와 예술

Chapter 09

가정의 달
家族月間

소중한 사람들을 잘 챙기는 한국인

카네이션!

어버이날에 부모님께 카네이션을 달아 드리는 이유가 무엇일까요?

학습목표

- ◆ 한국의 가정의 달 특징에 대해 이야기할 수 있다.
- ◆ 한국의 기념일에는 어떤 것이 있는지 이해할 수 있다.
- ◆ 한국과 일본의 기념일의 차이에 대해 비교할 수 있다.

한국의 오월은 특별한 달입니다. 어린이날(5월 5일), 어버이날(5월 8일), 스승의 날(5월 15일), 부부의 날(5월 21일) 등 가정과 관련된 기념일이 많습니다. 그래서 오월을 '가정의 달'이라고 부르기도 합니다. 가정의 달을 맞아 지자체나 각종 단체에서는 어린이날 잔치, 경로잔치 등 많은 행사가 열리며, 감사 세일, 효도 여행, 효도 콘서트 등의 상품이 출시됩니다.

한 포털 사이트의 설문조사 결과에 의하면 이러한 기념일 가운데 사람들이 가장 뜻깊게 여기는 날은 단연 '어버이날'이며, 약 81%의 사람들이 어버이날을 가장 중요한 기념일로 뽑았습니다. 2위를 차지한 '어린이날'의 응답률(약 31%)보다 무려 2배를 훨씬 넘는 결과를 기록했습니다.

한국 사람들이 가족을 소중하게 생각하는 것은 옛날이나 지금이나 마찬가지입니다. 예전보다 가족의 모습이 많이 달라졌다고는 하지만 먼저 부모님을 위하고 웃어른을 공경하는 마음은 여전합니다. 세대 간의 대화와 소통이 부족한 요즘, '어버이날'은 부모님과 자녀 간의 사랑을 확인하는 좋은 기회가 됩니다.

'스승의 날'은 일본에는 없는 기념일이지만 세계 60여개 나라가 '교사의 날(Teacher's Day)'을 지정해 선생님께 감사와 존경의 마음을 전합니다.

그 외에 한국에서는 특히 연인들 사이에 많은 기념일이 있습니다. 그리고 연인들끼리 그러한 기념일을 잘 챙기는 것이 매우 중요합니다. 커플이 사랑을 표현하는 특별한 날로 밸런타인데이(2월 14일), 화이트데이(3월 14일), 빼빼로데이(11월 11일) 등이 있습니다. 또한 연인이 만난 지 100일 되는 날, 1년 되는 날, 1000일 되는 날 등을 기념해 특별한 이벤트를 하기도 합니다. 그래서 한국에서는 기념일을 잊지 않기 위해 기념일을 관리해주는 앱을 사용하는 사람이 많습니다.

또한 연인이 없는 사람들에게도 특별한 기념일인 블랙데이(4월 14일)가 있습니다. 흔히 솔로들의 날로 밸런타인데이와 화이트데이에 초콜릿이나 사탕을 주고받지 못한 솔로들끼리 까만색의 옷을 입고 짜장면을 먹는 날입니다.

이러한 밸런타인데이, 화이트데이, 블랙데이 외에도 매달 14일을 기념하는 각종 포틴(fourteen)데이마저 등장해 그저 재미로 만들어진 날들이 현재 젊은 층 사이에서는 기념일로 되어 있습니다.

한국의 다양한 기념일 문화는 소중한 사람들과 즐기는 일상의 소소한 이벤트라는 긍정적인 의견과 기념일이 많아 비용이 들고, 상업적 목적의 기업들이 사용하는 상술이라는 부정적인 의견이 있습니다. 지금까지는 기념일들이 상업적인 측면에서 많이 생겨났지만, 최근에는 천사데이와 같이 남을 도와주거나 애플(사과)데이처럼 남을 용서하자는 뜻의 순수한 기념일도 생겼습니다. 앞으로는 과연 어떤 기념일이 생겨날지 기대됩니다.

어휘와 표현 語彙と表現

参고 어휘 参考語彙

❏ 어린이날	子供の日
❏ 어버이날	両親の日
❏ 스승의 날	先生の日
❏ 부부의 날	夫婦の日
❏ 가정의 달	家族月間
❏ 지자체	地方自治体
❏ 경로잔치	敬老の日のお祝い会
❏ 효도 여행	親孝行のための旅行
❏ 효도 콘서트	親孝行のためのコンサート
❏ 포털 사이트	ポータルサイト
❏ 설문조사	アンケート調査
❏ 응답률	応答率、回答率
❏ 밸런타인데이	バレンタインデー
❏ 화이트데이	ホワイトデー
❏ 빼빼로데이	ポッキーの日
❏ 블랙데이	ブラックデー
❏ 솔로	ソロ、独身
❏ 포틴데이	fourteen day：1990年代以降若者の間で毎月14日を記念日と決めて互いにプレゼントをあげたりするようになった。
❏ 상술	商業的な戦略
❏ 천사데이	天使の日（毎年10月4日）：10月4日を4桁の数字にすると1004で、1004を韓国では「チョンサ（天使）」と発音することから由来する。
❏ 애플데이	アップルデー：「アップル」のハングル読みが「サグァ（謝罪）」であることから由来している。謝罪をしながら和解し、お互いを許す日。

학습 어휘 学習語彙

❏ 특별하다	特別だ	❏ 연인들	恋人達
❏ 각종 단체	各種団体	❏ 관리	管理
❏ 감사 세일	感謝セール	❏ 초콜릿	チョコレート
❏ 상품	商品	❏ 짜장면	ジャージャー麺
❏ 출시되다	出荷される、市販される	❏ 젊은 층	若者層
❏ 결과	結果	❏ 소중하다	大事だ、大切だ
❏ 단연	断然	❏ 소소하다	わずかだ、些細だ
❏ 가장	最も	❏ 긍정적이다	前向きだ、ポジティブだ
❏ 뽑다	選ぶ	❏ 부정적이다	否定的だ、ネガティブだ
❏ 차지하다	占める	❏ 상업적	商業的
❏ 무려	実に、なんと	❏ 목적	目的
❏ 훨씬	はるかに、ずっと	❏ 기업	企業
❏ 기록하다	記録する	❏ 측면	側面
❏ 마찬가지	同様	❏ 순수하다	純粋だ
❏ 여전하다	相変わらずだ	❏ 과연	果たして
❏ 세대 간	世代間	❏ 생겨나다	生まれる、できる
❏ 지정하다	指定する		
❏ 존경	尊敬		

표현 表現

❏ –(이)라고 부르다	～と呼ぶ
❏ –에 의하면	～によると
❏ 뜻깊게 여기다	意味深く考える
❏ 부모님을 위하다	ご両親を敬う
❏ 웃어른을 공경하다	目上の人を敬う
❏ 소통이 부족하다	疎通（コミュニケーション）が足りない
❏ 기념일을 (잘) 챙기다	記念日を欠かさず祝う
❏ 재미로 만들어지다	楽しさから作られる
❏ 비용이 들다	費用がかかる
❏ –과/와 같이	～と一緒に
❏ –처럼	～のように
❏ 남을 도와주다	他人を助ける
❏ 남을 용서하다	他人を許す
❏ –ㄹ/을 지 기대되다	～するか楽しみだ

본문 확인하기

❶ 본문을 읽고 다음 질문에 답하세요.

(1) 한국에서 5월을 가정의 달이라고 부르는 이유가 무엇입니까?

(2) 한국의 다양한 기념일에 대한 부정적인 의견이 무엇입니까?

❷ 본문 내용과 맞으면 ○, 틀리면 × 하세요.

(1) 연인들 사이에서는 기념일을 잘 챙기는 것이 중요하다. (　　)

(2) 어버이날보다 어린이날을 더 중요하게 생각하는 사람이 많다. (　　)

(3) 스승의 날은 한국 특유의 기념일이다. (　　)

(4) 한국에는 기념일을 관리해주는 앱이 있다. (　　)

애자지정(愛子之情)

자식을 사랑하는 정

자식이 자라서 부모를 봉양함

❀ 열 손가락 깨물어도 안 아픈 손가락이 없다

❀ いくら子だくさんでも自分の子はどの子も可愛い

들어 보기

❶ 어버이날 선물에 대한 이야기입니다. 내용을 듣고 부모님이 제일 받고 싶어하지 않는 것을 고르세요. (　　　　　　　　) 9-1

(1) 현금　　(2) 전화　　(3) 책　　(4) 케이크

미혼 자녀 未婚の子供　　선을 보다 お見合いをする　　트렌드 トレンド
압박으로 느끼다 プレッシャーを感じる

❷ 포틴데이에 대한 대화입니다. 내용을 듣고 (　　) 안에 알맞은 날짜를 쓰세요. 9-2

보기　블랙데이　(4월 14일)

(1) 로즈데이　(　월　일)

(2) 키스데이　(　월　일)

(3) 실버데이　(　월　일)

이야기해 보기

❶ 한국에는 다양한 기념일이 있습니다. 일본의 기념일에는 어떤 것이 있는지 알아보고 이야기해 보세요.

❷ 일본에서는 연인들끼리 기념일을 어떻게 챙깁니까? 한국과 비교해서 이야기해 보세요.

コラム

「わかめスープ飲んだ？」

韓国では誕生日の朝にわかめスープを飲む習慣があり、家族や友達が誕生日を迎えた人のためにわかめスープを作ってあげるのが一般的です。そして、「わかめスープ飲んだ？」という表現とともにお祝いの言葉をかける光景が見られます。こうしたわかめスープの習慣は赤ちゃんの出産と関係があると言われています。出産後の母親は、普通わかめスープを1ヶ月ほど毎日飲み続けます。それは、わかめに含まれているカルシウムやミネラル成分が体力の回復を助け、母乳の出を良くすると言われているからです。誕生日にわかめスープを飲む習慣は、自分を産んでくれた母親への感謝の気持ちを忘れないということに繋がるのです。

このように、わかめスープは誕生日や産後の母親と結びついた大切な料理ですが、一方でわかめスープが嫌われる場面もあります。例えば試験の日や家族に受験生がいる家庭では、わかめがつるつるして滑りやすいことから、わかめスープを飲むことは縁起が悪いとされています。それと関連し、「미역국 먹었어（わかめスープを飲んだ）」という表現が「試験に落ちた」という意味で使われることもあります。

Chapter 10

캠퍼스 대학생활

キャンパス 大学生活

대학생활의 낭만은 어디로?! 스펙 쌓기에 여념이 없는 한국의 대학생

사각모와 검은 가운!?
한국의 대학교 졸업식에서도 한복과 같은 전통 의상을
입는 경우가 있을까요?

학습목표

- ◆ 한국의 대학생활에 대해 이해할 수 있다.
- ◆ 한국 대학생의 특징에 대해 알 수 있다.
- ◆ 한국과 일본의 대학생활의 차이에 대해 비교할 수 있다.

한국의 대학은 3월에 새 학기가 시작됩니다. 대학 신입생을 새내기라고 부르는데 새 학기에는 새내기들을 위한 신입생환영회와 오티(OT) 등의 행사가 줄을 잇습니다. 이러한 행사를 통해 새로운 친구를 만날 수 있고 선배들과도 친해질 수 있습니다. 오티는 주로 입학하기 직전인 2월 말에 진행되는데, 신입생에게 학교생활을 소개하는 행사입니다. 그리고 같은 학과 교수님들이나 친구들과 같이 엠티(MT)를 갑니다. 엠티는 친목을 도모하고 공동체 의식을 다지게 되는 중요한 모임이라고 할 수 있습니다.

신학기에는 또 한 가지 중요한 일정이 있습니다. 한국에서는 수강신청을 선착순으로 하기 때문에 그야말로 전쟁을 치릅니다. 그래서 수강신청 기간에는 인터넷 환경이 좋은 피시방이나 학교 컴퓨터를 이용하는 학생이 많은데, 홈페이지가 다운되는 경우도 있고 특히 인기 있는 과목은 학생들이 몰리기 때문에, 클릭 전쟁이라고도 할 수 있습니다.

그리고 대학생이 되어서 처음으로 동아리 활동을 하는 학생들도 있습니다. 동아리는 흔히 취미 생활, 자기 계발 등 목적이 같은 사람들이 함께하는 모임을 의미합니다. 선배들과 함께 낭만적인 대학생활을 보내기 위해, 그리고 미래에 도움이 되는 스펙을 쌓기 위해 동아리에 들어가는 사람도 있습니다.

보통 5월이나 10월에는 대학에서 축제가 열립니다. 축제에서는 학과나 동아리에서 만든 작품을 전시하거나 준비한 공연을 하기도 합니다. 또한 인기있는 연예인의 공연이 펼쳐지기도 합니다. 그리고 다양한 먹거리, 볼거리, 즐길 거리도 아주 많습니다.

한국에서는 학교 성적이 취업에도 관련되기 때문에 좋은 성적을 얻기 위해 서로 경쟁이 치열합니다. 학교 도서관은 24시간 사용할 수 있는데, 시험기간 중에는 항상 만원이며, 학교 근처의 카페에서 공부하는 학생도 아주 많습니다. 요즘은 스터디카페 같은 곳이 많이 생기고 있어서 '카공족'은 앞으로도 늘어날 것 같습니다.

또한 한국의 대학생들은 방학이 되면 스펙 쌓기에 여념이 없습니다. 토익 등의 영어나 취업하고자 하는 분야와 관련된 자격증 취득, 봉사활동, 인턴쉽 등에 참가하는 학생이 많습니다. 그리고 해외로 어학연수를 가기도 하고 스펙을 쌓으려고 일부러 휴학을 하는 학생도 있습니다. 남학생은 대개 1학년을 마치고 군대를 가기 위해 2년 정도 휴학을 하게 됩니다. 그리고 제대를 한 후에는 복학생으로서 후배들과 같이 공부를 하기 때문에 남학생들은 같은 학번 여자 동기들보다 졸업이 조금 늦어집니다.

졸업식은 2월에 있습니다. 졸업식 날에는 검은 가운에 사각모를 쓰고 캠퍼스를 배경으로 가족이나 친구들과 사진을 찍습니다. 또한 부모님께도 검은 가운과 사각모를 씌워 드리고 기념촬영을 하기도 하는데, 감사의 마음을 전하는 의미가 담겨 있습니다.

어휘와 표현 語彙と表現

참고 어휘 参考語彙

❏ 새내기	ニューフェース、新入り、新入生
❏ 신입생환영회	新入生歓迎会
❏ 오티	OT（Orientation Training）新入生オリエンテーション合宿
❏ 선배	先輩
❏ 엠티	MT（Membership Training）親睦合宿
❏ 공동체 의식을 다지다	共同体意識を確かめる（固める）
❏ 수강신청	履修登録
❏ 전쟁을 치르다	戦争になる：競争が激しいことの比喩的表現
❏ 피시방	ネットカフェ
❏ 홈페이지	ホームページ
❏ 클릭 전쟁	クリック戦争：履修申請の競争が激しいことの比喩的表現
❏ 즐길 거리	楽しめるもの、楽しめるところ
❏ 스터디카페	スタディカフェ
❏ 카공족	カフェ勉族（카페＋공부＋족）
❏ 스펙 쌓기	スペックを積むこと
❏ 자격증 취득	資格証取得
❏ 인턴쉽	インターンシップ
❏ 어학연수	語学研修
❏ 후배	後輩
❏ 같은 학번	同じ学年
❏ 동기	同期
❏ 검은 가운	黒いガウン
❏ 사각모	四角い帽子

학습 어휘 学習語彙

❏ 학기	学期	❏ 볼거리	見どころ、観光スポット
❏ 친해지다	仲良くなる	❏ 성적	成績
❏ 입학	入学	❏ 취업	就業、就職
❏ 모임	集まり	❏ 시험기간	試験期間
❏ 일정	日程	❏ 항상	常に、いつも
❏ 선착순	先着順	❏ 만원	満員
❏ 그야말로	まさに、まさしく、それこそ	❏ 봉사활동	ボランティア活動
		❏ 참가하다	参加する
❏ 인터넷 환경	ネットワーク環境	❏ 일부러	わざと
❏ 과목	科目	❏ 휴학하다	休学する
❏ 처음(으로)	初めて	❏ 남학생	男子学生
❏ 동아리	サークル	❏ 대개	大体、大概
❏ 취미 생활	趣味生活	❏ 군대	軍隊
❏ 자기 계발	自己啓発	❏ 제대	除隊
❏ 학과	学科	❏ 복학생	復学生
❏ 작품	作品	❏ 졸업(식)	卒業（式）
❏ 전시하다	展示する	❏ 늦어지다	遅くなる
❏ 연예인	芸能人	❏ 기념촬영	記念撮影
❏ 먹거리	食べ物、グルメ		

표현 表現

❏ -이/가 시작되다	～が始まる
❏ 줄을 잇다	相次ぐ、列が続く
❏ 친목을 도모하다	親睦を図る
❏ -과/와 함께	～と一緒に、～と共に
❏ 도움이 되다	役に立つ
❏ 축제가 열리다	学園祭が開かれる
❏ 공연이 펼쳐지다	公演が繰り広げられる
❏ -을/를 얻기 위해	～を得るために
❏ 경쟁이 치열하다	競争が激しい
❏ 여념이 없다	余念がない
❏ -과/와 관련되다	～と関連する
❏ -(으)려고	～しようと
❏ -을/를 마치다	～を終える
❏ -ㄴ/은 후에	～した後に
❏ -(으)로서	～として
❏ -을/를 배경으로	～を背景に（して）
❏ 씌워 드리다	被せて差し上げる
❏ 마음을 전하다	気持ちを伝える
❏ 의미가 담겨 있다	意味が込められている

본문 확인하기

❶ 본문을 읽고 다음 질문에 답하세요.

(1) 대학에서 교수님들이나 친구들과 공동체 의식을 다지기 위해 가지는 모임을 무엇이라고 합니까?

(2) 취미 생활, 자기 계발 등 목적이 같은 사람들이 함께하는 모임을 무엇이라고 합니까?

❷ 본문 내용과 맞으면 ○, 틀리면 × 하세요.

(1) 남학생은 1학년을 마치고 군대에 가는 경우가 많다. ( )

(2) 졸업식 때는 전통의상을 입고 사진을 찍는다. ( )

(3) 한국에서는 2월에 새 학기가 시작된다. ( )

(4) 카페에서 공부를 하는 카공족이 많다. ( )

불면불휴(不眠不休)

조금도 쉬지 않고 애써 일함

❀ 젊어서 고생은 사서도 한다

❀ 若い時の苦労は買ってでもせよ

들어 보기

❶ 한국 대학생들의 최대 관심사가 무엇입니까? 내용을 듣고 알맞은 답을 쓰세요. 🎧 10–1

입증하다 立証する　　조건 획득 条件獲得　　응답비율 応答の比率
껑충 뛰다 跳ね上がる　　낭만 浪漫　　현주소 現住所
상아탑 象牙の塔（俗世を離れて自分の理想にこもり、ひたすら芸術や学問にふけること「大学」の比喩的表現）

❷ 유미 씨와 정국 씨의 대화입니다. 내용을 듣고 맞는 것을 고르세요.

(　　　　　　) 🎧 10–2

(1) 정국 씨는 오후에 카페에서 팀플을 할 생각이다.

(2) 유미 씨는 오후에 카페에서 팀플을 한다.

(3) 유미 씨는 오후에 도서관에 갈 생각이다.

(4) 정국 씨는 오후에 수업을 듣는다.

학식 学食　　공강 空講(講義の空き時間)　　덕분에 おかげで
팀플 チームプロジェクト、グループワーク

❶ 한국과 일본의 대학생활에 대해 알아보고 이야기해 보세요.

❷ 일본의 대학생들은 취업을 위해 어떤 준비를 합니까? 한국과 비교해서 이야기해 보세요.

コラム

あなたは何色のスプーン？

韓国では食事にスプーン（수저）が欠かせません。しかしそのスプーンに色をつけると特殊な意味合いを帯びます。では「金のスプーン（금수저）、銀のスプーン（은수저）、銅のスプーン（동수저）」とは何を指すのでしょうか。金のスプーンは、恵まれている財閥の子息・息女を指し、その下の階層が銀のスプーン、その下が銅のスプーンです。そして最も低い階層を「泥のスプーン（흙수저）」と呼ぶこともあります。

こうした「スプーン階級論」は、親の財力が人生を決め、本人の努力により階層を上昇させることがほぼ見込めない韓国の現代社会を反映していると言えるでしょう。実際、社会で成功するために必要なものとして「才能」よりも「家庭環境」であると考える若者が多いようです。

BTSの「불타오르네（Fire)」という曲の歌詞の中に、'그 말하는 넌 뭔 수저길래. 수저 수저 거려. 난 사람인데（そんなことを言ってるお前はどんなスプーンなの？スプーンだって？俺は人間だけど）'という部分があります。これは「スプーン階級論」の弊害を批判したものです。

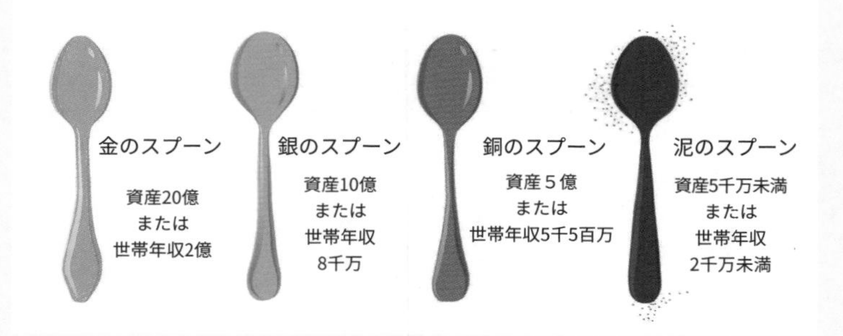

＜通貨単位：韓国のウォン＞

Chapter 11

한국인의 미용의식

韓国人の美容意識

더 이상 여성들만의 전유물이 아닌 미용

아름다운 남성!
남성 화장품에 관한 선전이나 광고를 주변에서
흔히 볼 수 있게 된 것이 언제부터일까요?

학습목표

- ◆ 한국 사람들의 미용에 대한 인식을 이해할 수 있다.
- ◆ 한국 사회의 미용에 대한 인식 변화를 이야기할 수 있다.
- ◆ 한국과 일본의 미용에 대한 문화 차이를 이야기할 수 있다.

한국 사람들은 일반적으로 미용이나 외모에 대한 관심이 높습니다. 피부과나 성형외과 등에서 관리를 하는 것은 물론, 평상시의 스킨케어도 게을리하지 않는 이미지가 있습니다. 그래서인지 실제로 피부가 곱고 깨끗한 사람이 아주 많습니다.

한국 음식에 빼놓을 수 없는 김치나 고춧가루가 피부를 곱게 만든다는 설이 있으며, 야채를 많이 먹어서라는 설도 있습니다. 실제로 한국의 야채 섭취량은 세계 2위로 일본의 2배 이상이라고 합니다. 또한 남녀노소를 불문하고 피부미용과에 다니는 사람을 흔하게 볼 수 있습니다. 이처럼 미용을 중요시하는 생활습관이 깨끗한 피부를 만드는 비결일지도 모르겠습니다.

외모를 중요시하는 한국에서는 미용성형에 대한 인식이 크게 변화하고 있습니다. 고등학교를 졸업하는 자녀에게 성형수술을 선물하거나, 나이 든 사람들이나 젊은 남자들도 성형하는 경우가 많습니다. 그리고 한국에서는 큰 키도 외모의 중요한 요소의 하나입니다. 요즘 청소년의 희망 키가 남자 180cm 이상 여자 168cm 이상인 것을 보면 큰 키가 외모나 자신감에 도움이 되는 듯합니다. 그래서인지 아이들의 성장을 더욱 활발히 이루어질 수 있게 만드는 '성장클리닉'이 주목을 받아 인기를 끌고 있습니다.

지금까지 미용은 여성들만의 특권처럼 생각되어 왔는데 이제 더는 여성들만의 전유물이 아닌 것 같습니다. 요즘 한국 남성들의 미용에 대한 관심과 수요가 늘어나면서 자신의 외모를 가꾸는 남성들을 가리키는 말로 '그루밍족'이라는 신조어까지 생겼습니다. 그루밍족의 등장으로 남성을 대상으로 한 미용 · 패션산업 등에 대한 관심 또한 증가하고 있습니다. 외모에 투자하는 남성이 많아지고 화장하는 남성도 늘기 시작하면서 서울에 있는 어떤 지하철역에는 남성전용 파우더룸까지 생겼습니다. 서울교통공사 관계자에 의하면 남자들도 화장을 하는데 화장실 공간이 비좁다는 의견이 나와 파우더룸을 설치하게 됐다고 합니다. 파우더룸에는 거울과 선반은 물론 고대기나 전기 면도기 등을 사용할 수 있는 콘센트까지 갖추어져 있습니다.

한국의 아이돌이나 한국 남자의 인스타그램을 보면 피부가 깨끗하고 예쁜 사람, 화장한 사람들이 눈에 띄게 많습니다. 남자들의 화장에는 사회적인 시선 때문에 주저하는 사람도 많았지만, 아이돌 등이 화장을 선보이며 점점 화장하는 남자에 대한 반감도 줄어든 것 같습니다. 특히 요즘은 SNS의 발달로 한류 아이돌처럼 예쁘고 멋진 남자를 선호하는 미용맨즈들이 급증하고 있습니다. SNS뿐만 아니라 온라인 사이트에서도 맨즈뷰티, 남성화장품, 성형화장 등의 해시태그로 남성미용에 대한 소개와 사용 후기도 늘어나고 있습니다. 이처럼 외모를 적극적으로 가꾸는 남성이 늘고 있으며 이것은 우리 사회의 인식과 문화가 바뀌고 있다는 증거이기도 합니다. 외모 가꾸기 열풍은 이제 남성들에게도 빼놓을 수 없는 매너로 자리매김하고 있습니다.

어휘와 표현 語彙と表現

참고 어휘 参考語彙

❏ 피부과	皮膚科
❏ 성형외과	整形外科
❏ 스킨케어	スキンケア
❏ 야채 섭취량	野菜摂取量
❏ 남녀노소	老若男女
❏ 피부미용과	皮膚美容科
❏ 미용성형	美容整形
❏ 성형수술	整形手術
❏ 성장클리닉	成長クリニック
❏ 그루밍족	Grooming 族：ファッションと美容に惜しみなく投資する男性を指す言葉
❏ 패션산업	ファッション産業
❏ 파우더룸	パウダールーム
❏ 서울교통공사	ソウル交通公社、Seoul Metro
❏ 고대기	コテ、ヘアアイロン
❏ 전기 면도기	電気シェーバー
❏ 인스타그램	インスタグラム
❏ 한류 아이돌	韓流アイドル
❏ 미용맨즈	美容メンズ
❏ 온라인 사이트	オンラインサイト
❏ 맨즈뷰티	メンズビューティー
❏ 남성화장품	男性化粧品
❏ 성형화장	整形化粧
❏ 해시태크	ハッシュタグ（#）
❏ 외모 가꾸기	外見を磨くこと

학습 어휘 学習語彙

어휘	意味	어휘	意味
❏ 물론	もちろん	❏ 투자하다	投資する
❏ 평상시	平常時、普段	❏ 남성전용	男性専用
❏ 그래서인지	だからなのか	❏ 생기다	できる、うまれる
❏ 깨끗하다	きれいだ	❏ 관계자	関係者
❏ 고춧가루	唐辛子の粉	❏ 공간	空間
❏ 흔하다	珍しくない、ありふれている	❏ 비좁다	狭い
❏ 생활습관	生活習慣	❏ 설치하다	設置する
❏ 비결	秘訣	❏ 거울	鏡
❏ 인식	認識	❏ 선반	棚
❏ 변화하다	変化する	❏ 갖추다	備える
❏ 자녀	子供、子女	❏ 시선	視線
❏ 선물하다	プレゼントする	❏ 주저하다	躊躇する
❏ 청소년	青少年	❏ 점점	だんだん、ますます
❏ 희망	希望	❏ 반감	反感
❏ 자신감	自信（感）	❏ 줄어들다	減る
❏ 특권	特権	❏ 급증하다	急増する
❏ 전유물	専有物	❏ 사용후기	レビュー
❏ 늘어나다	増える	❏ 적극적으로	積極的に
❏ 가리키다	指す、指し示す	❏ 바뀌다	変わる
❏ 신조어	新造語	❏ 증거	証拠
❏ 등장	登場	❏ 열풍	ブーム、熱風

표현 表現

❏ –을/를 하는 것은 물론	～するのはもちろん
❏ 게을리하지 않다	怠らない、怠けない
❏ 피부가 곱다	肌がきめ細かい
❏ 빼놓을 수 없다	欠かせない、必ず必要だ
❏ –을/를 불문하고	～を問わず
❏ –ㄹ/을 지(도) 모르다	～するかもしれない
❏ –은/는 듯하다	～のようだ
❏ 인기를 끌다	人気を集める
❏ –은/는 것 같다	～のようだ
❏ –을/를 대상으로 하다	～を対象にする
❏ 눈에 띄다	目立つ
❏ 화장을 선보이다	化粧を初公開する、化粧姿を披露する
❏ 자리매김하다	位置づける、定着する

본문 확인하기

❶ 본문을 읽고 다음 질문에 답하세요.

(1) 패션과 미용 등에 투자를 아끼지 않는 남성들을 가리켜 하는 말로 등장한 신조어가 무엇입니까?

(2) 아이들의 성장을 도와주는 곳으로 주목을 받고 있는 곳은 어디입니까?

❷ 본문 내용과 맞으면 ○, 틀리면 × 하세요.

(1) 미용이나 외모 가꾸기는 여성들만의 전유물이다. ( )

(2) 한국에서는 화장하는 남자에 대한 시선이 여전히 좋지 않다. ( )

(3) 큰 키도 외모의 중요한 요소의 하나이다. ( )

(4) 한국에서는 미용성형에 대한 인식이 크게 변화하고 있다. ( )

외허내실(外虛內實)

겉은 허술한 듯 보이나 속은 충실함

❀ 작은 고추가 맵다

❀ 山椒は小粒でもぴりりと辛い

❶ 내용을 듣고 그림의 ( ) 안에 숫자를 쓰고, 1위 빈 칸에 알맞은 답을 쓰세요. 11-1

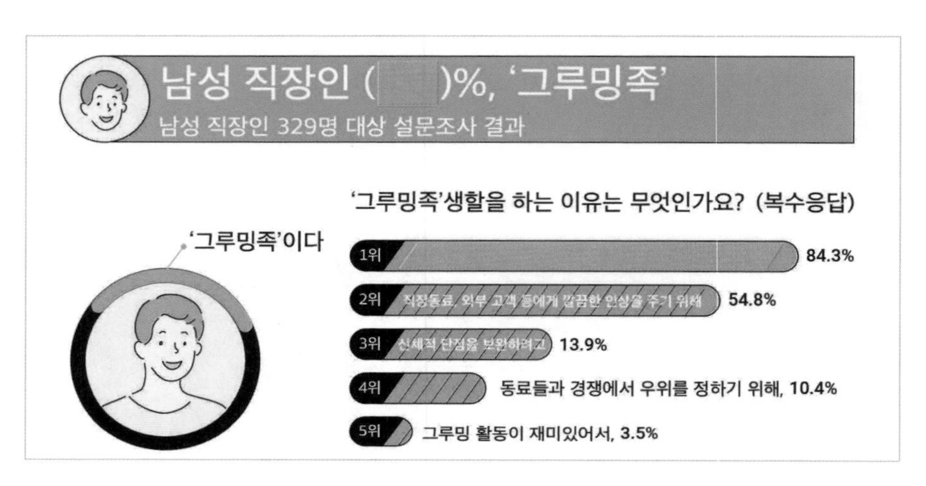

신경 쓰다 外見に気をつかう 최다 最多 경쟁력 競争力

❷ 피부과에 전화 예약을 하고 있습니다. 내용을 듣고 고객이 예약한 일정을 고르세요. ( ) 11-2

(1) 이번주 금요일 오후

(2) 이번주 토요일 오전

(3) 다음주 금요일 오후

(4) 다음주 목요일 오전

상담하다 相談する 꽉 차 있다 いっぱいだ、つまっている

이야기해 보기

❶ 한국에서는 성형수술에 대한 이미지가 크게 변화하고 있습니다. 성형수술에 대한 자신의 의견을 이야기해 보세요.

❷ 한국과 일본의 미용에 대한 문화 차이를 알아보고 이야기해 보세요.

コラム

Well-Beingブーム！

韓国の公園を訪れると、たくさんの運動器具が備えられているのに気づくことでしょう。韓国人は健康意識が高いのかもしれません。韓国には至る所にサイクリング・ロードがあり、ソウルから釜山までも自転車で行くことができるなど、運動に最適な環境が整っています。

特に近年の健康ブームとして、英語の「Well-Being（웰빙）」という言葉を使ったものがよく見られます。韓国では「Well-Being焼肉、Well-Being野菜、Well-Beingミルク、Well-Beingはちみつ」など、「Well-Being食品」と呼ばれるさまざまな食品を摂取し、健康な身体と精神を求めるライフスタイルが確立されています。また食べ物だけでなく、「Well-Beingマンション、Well-Beingスパ、Well-Beingヨガ」という言葉までも聞かれます。このように、韓国にはたくさんの「Well-Being」があり、このような「Well-Beingライフ」を求める人々のことを「Well-Being族」と呼んだりもします。

Chapter 12

한국의 문학

韓国の文学

세계에서 주목을 받고 있는 한국 현대 문학

한국 문학의 매력!

일본에서 어떤 한국 문학이 인기가 있나요?

읽어보고 싶은 책이 있나요?

학습목표

- ◆ 한국 문학의 시대적 흐름과 특징에 대해 이해할 수 있다.
- ◆ 일본과 한국의 대표적인 작가와 작품에 대해 알아보고 이야기할 수 있다.
- ◆ 좋아하는 문학 작품에 대해 이야기할 수 있다.

문학은 바로 그 당시의 시대를 반영하는 것이며, 사람들의 의식을 바꾸고 사회를 움직이는 힘이 됩니다. 80년대 이후의 사회적 기능으로서의 문학의 특징을 살펴보면, 80년대에는 한국의 급속한 경제발전에 따라 돈으로 무엇이든 할 수 있다는 물질만능주의가 널리 퍼지면서 이러한 현실을 비난하는 작품이 많이 등장합니다. 90년대에는 한국 사회가 만들어가고 있는 새로운 사회와 문화현상들을 문학 작품 속에 담아내고 있습니다. 인터넷과 과학 기술의 발전으로 사회적 영향력이 확대되고 다양한 영상 매체 환경이 등장하면서 문학의 수용과 창작에도 영향을 미쳤습니다. 2000년 이후에는 페미니즘을 주제로 한 작품들이 주목을 받고 있습니다.

2000년 이후 일본에서 한류 열풍이 일어나고 있을 때 한국에서는 일본의 요시모토 바나나(吉本ばなな), 히가시노 게이고(東野圭吾), 무라카미 하루키(村上春樹) 등의 작품들이 들어와 인기를 얻었습니다. 한편, 일본 출판계에 한국 문학 열풍이 불었던 것은 2019년쯤입니다. 일본 서점에서도 한국 서적이 베스트셀러 상위권에 들어왔으며 '한국 문학' 전시회를 개최하는 등 한국 문학에 많은 관심이 쏠리고 있습니다. 현대 한국 문학에서 인기를 이끌어가는 것은 비교적 젊은 세대의 여성 작가들입니다. 2016년에 한강이 "채식주의자"라는 소설로 아시아인 최초의 맨부커상을 수상했던 기억이 새롭습니다. 이를 시작으로 한국 문학이 점차 세계에서 주목을 받기 시작했습니다.

이처럼 한국 문학을 많은 사람이 읽고 공감하는 이유 중 하나로 한국 문학에 보이는 어떤 공통점을 들 수 있습니다. 그것은 바로 일상 속에 숨어 있는 사회 문제나 삶의 힘듦이 부각되고 있다는 점입니다. 책 속의 등장인물도 자신과 먼 존재가 아니라 누구에게나 들어맞는 보편적인 존재로 그려져 있고 누구에게나 일어날 수 있는 가까운 문제가 제기되고 있습니다.

조남주의 "82년생 김지영"은 여성이 평생 받는 어려움과 차별을 그려 당시 한국에서 페미니즘이 기세를 더해가고 있는 가운데서 한국에서는 100만 부를 넘는 베스트셀러가 되었습니다. 이야기 속에 나오는 상황은 한국뿐만 아니라 일본이나 다른 나라에서도 많은 공감을 얻어 세계 각국에서 번역되고 영화로도 개봉되었습니다. 또한 현재 일본에서는 K-POP 가수들의 애독서가 SNS로 확산되면서 한국 문학 작품에 별로 흥미가 없던 젊은 세대에게도 인기를 얻고 있습니다. 지금까지 한국 문학에 관심이 없었던 사람들도 한번쯤은 서점에 발을 옮겨 한국 문학의 매력을 느껴 보았으면 합니다.

어휘와 표현 語彙と表現

참고 어휘 参考語彙

❑ 사회적 기능	社会的機能
❑ 물질만능주의	物質万能主義
❑ 담아내다	盛り込む、反映する
❑ 영상 매체	映像媒体
❑ 페미니즘	フェミニズム
❑ 출판계	出版界
❑ 베스트셀러	ベストセラー
❑ 채식주의자	『菜食主義者』
❑ 맨부커상	マン・ブッカー賞
❑ 부각되다	浮き彫りになる
❑ 제기되다	提起される
❑ 82년생 김지영	『82年生まれ、キム・ジヨン』
❑ 애독서	愛読書

학습 어휘 学習語彙

❏ 당시	当時	❏ 상위권	上位
❏ 반영하다	反映する	❏ 전시회	展示会
❏ 움직이다	動かす	❏ 개최하다	開催する
❏ 살펴보다	探る、調べる、注意して見る	❏ 젊은 세대	若い世代
❏ 급속하다	急速だ	❏ 수상하다	受賞する
❏ 경제발전	経済発展	❏ 점차	次第に、徐々に
❏ 무엇이든	何でも	❏ 숨어 있다	隠れている
❏ 현실	現実	❏ 삶	人生、生活、暮らし
❏ 비난	非難	❏ 힘듦	大変さ、辛さ
❏ 직면하다	直面する	❏ 등장인물	登場人物
❏ 현상	現象	❏ 들어맞다	当てはまる
❏ 영향력	影響力	❏ 보편적	普遍的
❏ 확대되다	拡大する、広がる	❏ 어려움	困難
❏ 수용	受容	❏ 차별	差別
❏ 창작	創作	❏ 번역되다	翻訳される
❏ 주제	主題、テーマ	❏ 개봉되다	封切される、公開される
❏ 한편	一方	❏ 한번쯤	一度くらい
❏ 서적	書籍		

표현 表現

❏ 의식을 바꾸다	意識を変える
❏ –에 따라	～につれて
❏ 널리 퍼지다	広範囲に広まる
❏ 영향을 미치다	影響を与える
❏ 인기를 얻다	人気を得る、人気が出る
❏ 관심이 쏠리다	関心が集まる、関心を引く
❏ 인기를 이끌어가다	人気をリードする
❏ 기억이 새롭다	記憶に新しい
❏ 기세를 더해가다	勢いを増していく
❏ 공감을 얻다	共感を得る
❏ 흥미가 없다	興味がない
❏ 발을 옮기다	足を運ぶ

본문 확인하기

❶ 본문을 읽고 다음 질문에 답하세요.

(1) 2000년 이후에 한국 문학에서 주목을 받고 있는 주제는 무엇입니까?

(2) 한국 현대 문학의 공통점이 무엇입니까?

❷ 본문 내용과 맞으면 ○, 틀리면 × 하세요.

(1) 한국 현대 문학에서는 비교적 젊은 남성 작가들이 주목을 받고 있다. (　　)

(2) 아시아 최초로 맨부커상을 수상한 사람은 조남주이다. (　　)

(3) "82년생 김지영"은 세계 각국에서 번역되고 영화로도 개봉되었다. (　　)

(4) K-POP 가수들을 통해 한국문학에 접한 사람도 많다. (　　)

독서삼도(讀書三到)
책을 읽는 데에는 눈으로 보고, 입으로 읽고, 마음으로 깨우쳐야 한다

❀ 귀가 보배

❀ 耳学問で覚えた知識が多い

❶ 한국인의 독서실태에 대한 조사입니다. 내용을 듣고 질문에 답하세요. 12-1

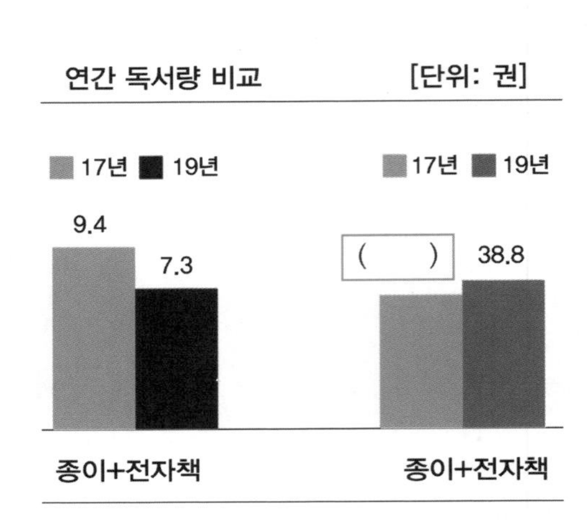

(1) 그림의 (　) 안에 알맞은 숫자를 쓰세요.

(2) 학생과 성인들의 독서량이 부족한 요인으로 맞는 것을 고르세요. (　　　)

① 읽을 만한 책이 없어서
② 독서에 재미를 못 느껴서
③ 시간이 없어서
④ 어떤 책을 읽을지 몰라서

문화체육관광부 文化体育観光部	독서실태 読書実態	연간 평균 年間平均
늘어나다 増える	독서량 読書量	부족하다 不足している

❷ 두 사람이 나누는 대화입니다. 내용을 듣고 맞는 것을 고르세요. (　　　) 12-2

① 영화도 소설도 재미없다.
② 영화의 원작은 소설이다.
③ 민수 씨는 영화를 봤다.
④ 영화는 추천하지 않는다.

소설 小説	개인적으로 個人的に	추천하다 勧める	원작 原作
−을/를 만하다 ~する価値がある			

이야기해 보기

❶ 한국 문학 작품이 일본어로, 일본 문학 작품이 한국어로 번역되어 출판된 것을 알아보고 이야기해 보세요.

❷ 소개하고 싶은 일본 문학 작품과 그 이유에 대해 이야기해 보세요.

コラム

ストレス社会に生きる若者たちが共感する韓国エッセイ

今日本で注目されている韓国文学は小説だけに留まりません。最近は若者を中心に韓国のエッセイが人気を集め、日本語での翻訳出版が相次いでいます。SNSの影響で情報をいち早く入手できるようになったことで、K-POPアイドルの愛読書やドラマで使用された本などの情報が瞬く間に広がり、人気を博しています。韓国のエッセイは、表紙や差し込みイラストがキャッチーで読みやすい内容であるというのも特徴の一つです。また多くのエッセイでは、韓国の厳しい競争社会で感じる生きづらさの中で、「がんばりすぎず」「自分らしく」生きることの大切さについて描かれており、現代人の多くが共感できる内容になっています。日々の生活の中で心が疲れたときや、自分の人生について立ち止まり考えたいとき、韓国のエッセイがその気持ちに寄り添ってくれるでしょう。

Chapter

13

한류
韓流

세계를 강타하고 있는 한류 열풍

글로벌 플랫폼!
K-POP아이돌 콘서트에 가 본 적이 있나요?

학습목표

- ◆ 한국 대중문화의 특징과 한류 역사에 대해 이해할 수 있다.
- ◆ K-POP과 J-POP의 차이에 대해 비교할 수 있다.
- ◆ 한류가 일본 문화에 미친 영향에 대해 이야기할 수 있다.

읽어 보기

"한류"란 대중문화를 시작으로 한국의 전반적인 문화가 세계에 알려지는 문화적 현상을 뜻합니다. 한류는 1990년대 말부터 아시아에서 일기 시작하여 현재는 아시아를 넘어 전 세계적으로 인기를 끌고 있습니다. 한류가 성장하게 된 배경에는 2001년 콘텐츠 산업을 전문적으로 지원하기 위한 핵심 정부 기관인 '한국 문화 콘텐츠 진흥원'이 설립되어, 문화산업 육성과 수출 진흥을 위한 조성이 있었습니다. 국내 각지의 대학에 실용음악학과와 영화영상학과, 전문학교도 다수 설립되었습니다. 그 결과 K-POP과 한국 드라마를 이끌어 갈 주역들이 나오게 되었습니다.

그렇다면 일본에서의 한류 열풍은 언제부터 시작되었을까요? 1998년 일본 대중문화 개방이 이루어진 이후, 한일 양국 간의 문화 교류가 활발해지면서 한국에서는 일본 영화가 인기를 끌게 되었고 일본에서는 한국 드라마가 인기를 끌게 되었습니다.

본격적으로는 2004년 드라마 '겨울연가'가 인기를 얻으면서 제1차 한류 붐이 일기 시작했습니다. 이 드라마의 주연배우인 배용준의 애칭에서 따온 '욘사마 붐'으로도 알려져 있습니다. 제1차 한류 붐은 중장년층의 여성들이 중심적인 역할을 했다고 해도 과언이 아닐 것입니다. 이후 다양한 한국 드라마들이 현재까지도 거의 매일 방영되고 있고 그 수가 무려 40개 이상에 이릅니다. 2010년경부터 동방신기, KARA, 소녀시대 등으로 대표하는 K-POP이 10대~20대들에게 유행하면서 제2차 한류 붐이 시작되었습니다. 제3차 한류 붐은 2017년부터 시작되었습니다. 조금은 주춤했던 한류가 BTS와 TWICE의 활약으로 다시 한번 붐이 일어나 그 입지가 더욱 강화되었습니다. 3차 붐의 특징은 젊은 여성이 중심이 되어 K-POP을 비롯해, K푸드, 패션, K뷰티 등이 유행하면서 일상 생활에까지 영향을 끼친 것입니다.

2020년에 들어 제4차 한류가 시작되었습니다. 아카데미상 수상 작품인 영화 '기생충'이 흥행 수입 45억 엔으로 일본에서 개봉된 한국 영화의 기록을 갈아 치웠습니다. 넷플릭스를 이용하여 한국 드라마나 영화 등을 실시간 접하게 되면서, '사랑의 불시착'이 일본 넷플릭스 전체 랭킹 1위를 차지하는 놀라운 기록을 세웠습니다. 또한 일본에서도 한국식 오디션 프로그램을 열어 일본인으로 구성된 K-POP 아이돌을 만드는 프로젝트가 인기를 끌고 있습니다. SNS나 YouTube 등을 통하여 한국의 문화나 콘텐츠를 실시간 접할 수 있게 되면서 전 세계적으로 한류 팬이 점점 더 늘어나고 있습니다. 특히 현재 세계 대중음악사에 남을 기록을 이어가고 있는 BTS의 경우 빌보드 사상 최초로 한국어로 된 노래가 'HOP 100' 1위에 오르며 빌보드 차트 62년 역사를 새롭게 쓰기도 했습니다. BTS를 선두로 하는 K-POP, K드라마, 영화 등 글로벌 플랫을 통하여 한류의 열풍이 앞으로도 계속될 것을 기대해 봅니다.

어휘와 표현 語彙と表現

참고 어휘 参考語彙

❏ 문화적 현상	文化的な現象	❏ 입지가 강화되다	立場が強化される
❏ 콘텐츠 산업	コンテンツ産業	❏ 아카데미상	アカデミー賞
❏ 핵심 정부 기관	重要な政府機関	❏ 기생충	寄生虫（パラサイト）
❏ 한국 문화 콘텐츠 진흥원	韓国文化コンテンツ振興院	❏ 흥행 수입	興行収入
		❏ 넷플릭스	ネットフリックス
❏ 육성	育成	❏ 사랑의 불시착	愛の不時着
❏ 영화영상학과	映画映像学科	❏ 랭킹	ランキング
❏ 전문학교	専門学校	❏ 대중음악사	大衆音楽史
❏ 양국 간	両国間	❏ 사상	史上
❏ 주연배우	主演俳優	❏ 빌보드 차트	ビルボードチャート
❏ 중장년층	中高年層	❏ 글로벌 플랫폼	グローバルプラットフォーム
❏ 주춤하다	停滞する		
❏ 붐이 일다	ブームが起きる		

학습 어휘 学習語彙

❏ 전반적	全体的	❏ 본격적으로	本格的に
❏ 뜻하다	意味する	❏ 애칭	愛称
❏ 전 세계적	全世界的	❏ 일컫다	呼ばれる
❏ 전문적	専門的	❏ 방영되다	放映される
❏ 성장하다	成長する	❏ 이르다	達する
❏ 배경	背景	❏ −경부터	〜頃から
❏ 지원하다	支援する	❏ 유행하다	流行する
❏ 설립되다	設立される	❏ 활약	活躍
❏ 이끌어 가다	率いる、引っ張っていく、導く	❏ 더욱	さらに
		❏ 접하다	接する
❏ 이루어지다	行われる	❏ 열다	開く
❏ 각지	各地	❏ 남다	残る
❏ 주역	主役	❏ 이어가다	継続する
❏ 나오다	出る	❏ 오르다	上がる
❏ 그렇다면	それでは、それならば	❏ 앞으로도	今後も
❏ 개방	解放	❏ 계속되다	続く
❏ 교류	交流	❏ 기대하다	期待する
❏ 활발해지다	活発になる		

표현 表現

❏ −기 위한	～するための
❏ −다고 해도 과언이 아니다	～と言っても過言ではない
❏ 중심이 되다	中心となる
❏ −을/를 비롯해	～をはじめとし
❏ 영향을 끼치다	影響を及ぼす
❏ 갈아 치우다	塗り替える
❏ 기록을 세우다	記録を打ち立てる
❏ −을/를 통하여	～を通じて
❏ 역사를 새롭게 쓰다	歴史を新たに書きかえる
❏ −을/를 선두로 하다	～を先頭とする
❏ −ㄹ/을 것	～すること
❏ −아/어 보다	～してみる

본문 확인하기

❶ 본문을 읽고 다음 질문에 답하세요.

(1) 대중문화를 시작으로 한국의 전반적인 문화가 세계에 알려지게 된 문화적 현상이 무엇입니까?

(2) 일본에서의 제3차 한류 붐의 특징이 무엇입니까?

❷ 본문 내용과 맞으면 ○, 틀리면 × 하세요.

(1) 1998년 이후 한일 양국 간의 문화 교류가 활발해 졌다. (　　)

(2) 한류는 1990년대 말부터 전세계에서 일기 시작했다. (　　)

(3) 제1차 한류 붐은 K-POP으로 시작됐다. (　　)

(4) SNS나 YouTube 등을 통하여 한국의 콘텐츠를 실시간 접할 수 있다. (　　)

고진감래(苦盡甘来)

쓴 것이 다하면 단 것이 온다

❀ 고생 끝에 낙이 온다

❀ 苦しみに耐えれば必ず良いことがある

들어 보기

❶ 한류 산업의 콘텐츠 수출에 관한 내용입니다. 내용을 듣고 ( ) 안에 알맞은 숫자를 쓰세요. 13-1

(1) 한류 관련 콘텐츠 수출액은 전년 대비 (   ) % 늘어난 44억 2500만 달러를 기록했다.

(2) 사상 처음으로 (   ) 원을 넘어섰다.

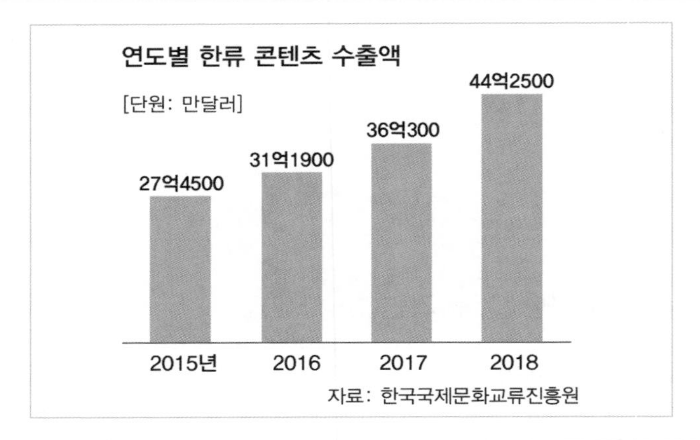

바람을 타다 風に乗る　　급증하다 急増する　　전년 대비 前年比
넘어서다 超える　　뛰어넘다 超える
※OTT（オーバー・ザ・トップ）インターネットによる動画等のコンテンツ配信サービス

❷ 다음은 K-POP 아이돌의 인터뷰입니다. 내용과 맞지 않은 것을 고르세요. (   ) 13-2

(1) 이번 신곡은 따뜻한 겨울 노래이다.

(2) 이번 곡은 새로운 희망과 행복한 기운을 얻는 이야기를 담았다.

(3) 안무에는 '즐겁다' '춤추다' '평화'의 의미가 있다.

(4) 국제수화를 활용해 안무를 만들었다.

신곡 新曲　　현악기 선율 スリングのメロディー　　담다 込める　　힘겹다 辛い
기운 パワー　　안무 振り付け　　눈에 띄다 目を引く　　활용하다 活用する

❶ K–POP과 J–POP의 차이에 대해 이야기해 보세요.

❷ 한류가 일본 문화에 미친 영향에 대해 알아보고 이야기해 보세요.

コラム

韓国人の男性はみな軍隊に行くのですか？

韓国人の男性であれば、満19歳から27歳までの間に入隊しなければなりません。なぜなら韓国と北朝鮮が今でも休戦状態にあるからです。兵役期間は軍（陸軍、海軍、空軍）により違いますが、１年半から２年ほどです。ただし精神疾患・身体疾患などの持病がある場合は、軍隊ではなく사회복무요원(社会服務要員)として公的機関に勤務することもあります。除隊後８年間は예비군（予備軍）として服務し、その後も40歳までは민방위（地域民間防衛隊）で年に一度簡単な訓練を受けます。一方、オリンピックでメダルを獲得したり、国際コンクールで賞を受けたりすると兵役が免除されます。また2020年12月には新たな兵役法改定案が可決され話題を呼びました。これは大衆文化芸術分野で国家の地位を向上させた人物を対象に兵役の延期を認めるというものですが、BTS（防弾少年団）がその対象として認められ、メンバーの入隊時期が延期されました。今回の改正は、大衆芸能分野の特例的措置としては初めてのことであり、海外からも注目が集まりました。

한국 사회의 미래

Chapter 14

다문화 사회

多文化社会

우리는 이웃 사촌

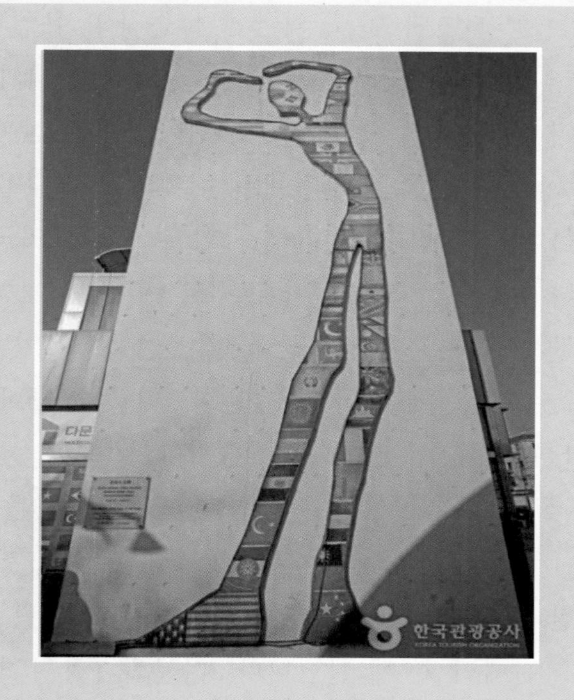

키다리 아저씨!

여기가 어디일까요? 무엇을 하는 곳인 것 같아요?

학습목표

- 한국의 다문화 사회의 특징에 대해 이해할 수 있다.
- 문화의 다양성이 가져다 주는 장점과 단점에 대해 이야기할 수 있다.
- 다문화 사회 실현을 위해서 필요한 태도에 대해 이야기할 수 있다.

한국 사회는 1990년대 이후 외국인 노동자의 유입과 함께 국제결혼 등으로 인한 이주민자도 급격하게 늘어나 한국에서 외국인을 마주치는 일이 흔한 일이 되었습니다. 한국인들은 전통적으로 혈통을 중요하게 생각해 한국인 사이에서 태어난 사람만을 한국인으로 생각해 왔습니다. 하지만 최근 한국 사회에서 체류 외국인과 다문화 가구가 늘어나면서 이들을 특수한 존재로 해석하기보다 한국 내 보편적 집단으로 수용해야 한다는 목소리가 높아지고 있습니다.

한국 정부는 2006년에 한국이 '다문화, 다종족 사회'라고 선언을 하고 그에 따른 정책을 시행하고 있습니다. 2019년 법무부 기준에 의하면 한국 국내 체류 외국인은 전체 인구중 4.9%를 차지합니다. OECD에서는 전체 인구의 5%가 외국인이면 다인종, 다문화 국가로 분류하는데 한국은 이미 다문화 국가로 진입했다고 할 수 있습니다. 다문화가정도 전체의 2%에 달합니다. 다문화가정은 외국인 노동자 가정, 국제결혼 이주자 가정, 국적 취득자, 유학생, 새터민(북한 이탈 주민) 등의 다양한 민족과 문화 배경을 가진 사람들로 구성된 가정입니다. 한국에서는 다문화 교육의 대상자인 학령기 자녀의 수가 늘고 있으며 사회에서 활약하고 있는 다문화가정 출신자도 점차 증가하고 있습니다. 현재는 군대에서도 '다문화 바람'이 불고 있어 2024년에는 다문화 출신 현역병이 1만 명에 이를 것으로 예상하고 있습니다.

한편, 다문화 사회로의 전환은 한국 사회의 여러 분야에서 많은 변화를 가져오고 있습니다. 다문화 사회는 한 사회 안에 다양한 인종, 민족, 종교, 문화를 가진 사람들이 함께 공존하는 사회입니다. 그렇기 때문에 다른 문화를 접하고 이해할 수 있는 기회가 늘어나고, 부족해진 노동력을 보충할 수 있다는 장점이 있습니다. 하지만 문화적 차이와 의사소통의 어려움 때문에 부적응 문제가 발생하기도 합니다. 또 일자리 경쟁 심화, 외국인 범죄 증가, 외국인 지원을 위한 사회적 비용 증가 등으로 인해 외국인과 내국인의 갈등이생길 수 있습니다. 게다가 다양한 문화의 유입으로 기존 문화와 새로운 문화의 충돌이 생기기도 합니다. 그리고 다문화가정이 늘어나면서 여성결혼 이민자에 대한 인권 문제, 다문화 가정 아이들에 대한 차별과 편견 등 다양한 부작용이 나타나고 있는 것도 사실입니다.

외국인과 내국인이 더불어 살아가는 다문화 사회 실현을 위해서는 배려와 공감, 그리고 이주민과 다문화 가정의 적응을 돕기 위한 제도 마련이 중요합니다. 그리고 무엇보다 문화적 다양성을 인정하고 그 가치를 서로 공유하며 존중해 주는 태도가 필요할 것입니다.

어휘와 표현 語彙と表現

참고 어휘 参考語彙

❑ 이주민자	移住者（移民）
❑ 다문화 가구	多文化家庭
❑ 보편적 집단	普遍的な集団
❑ 다인종	多人種
❑ 다종족 사회	多民族社会
❑ 이주자 가정	移住者家庭
❑ 체류 외국인	滞在外国人
❑ 법무부	法務局
❑ 국적 취득자	国籍取得者
❑ 새터민	“새터민”とは、新しい基盤のもとで生活する「民」を指す。脱北者に対してポジティブに表現したことば。
❑ 학령기	学齢期（学校教育を受ける年齢）
❑ 심화	深化
❑ 다문화 바람이 불다	多文化の風が吹く
❑ 현역병	現役兵
❑ 기존 문화	既存文化
❑ 인권문제	人権問題
❑ 제도 마련	制度作り

학습 어휘 学習語彙

❏ 외국인	外国人	❏ 차별	差別
❏ 노동자	労働者	❏ 배려	配慮
❏ 유입	流入	❏ 공감	共感
❏ 마주치다	出会う	❏ 마련	準備、用意
❏ 최근	最近	❏ 필요하다	必要だ
❏ 특수한	特殊な	❏ 분류하다	分類する
❏ 존재	存在	❏ 민족	民族
❏ 해석하다	解釈する	❏ 구성되다	構成される
❏ 수용하다	受容する、受け入れる	❏ 출신자	出身者
❏ 선언	宣言	❏ 예상하다	予想する
❏ 기준	基準	❏ 대상자	対象者
❏ 여러 분야	様々な分野	❏ 인정하다	認定する、認める
❏ 전환	転換	❏ 구성원	構成員
❏ 공존	共存	❏ 존중하다	尊重する
❏ 일자리	働き口、仕事	❏ 태도	態度
❏ 범죄	犯罪	❏ 강조되다	強調される
❏ 편견	偏見		

표현 表現

❏ 급격하게 늘어나다	急激に増える	
❏ 흔한 일이 되다	珍しくなくなる	
❏ -게 생각하다	～に思う、～と考える	
❏ 가구가 늘다	家庭が増える	
❏ -기 보다	～するより	
❏ 목소리가 높아지다	声が高まる	
❏ -에 따른	～による	
❏ -을/를 차지하다	～を占める	
❏ -(으)로 진입하다	～に突入する	
❏ -에 달하다	～に至る、～に達する	
❏ 변화를 가져오다	変化をもたらす	
❏ 노동력을 보충하다	労働力を補う	
❏ 부작용이 나타나다	副作用が現れる	
❏ 충돌이 생기다	衝突が起きる	
❏ 정책을 시행하다	政策を施行する	
❏ 더불어 살다	共に生きる、暮らす	
❏ 적응을 돕다	適応を助ける	

본문 확인하기

❶ 본문을 읽고 다문화 사회의 장점과 단점을 쓰세요.

장 점	
단 점	

❷ 본문 내용과 맞으면 ○, 틀리면 × 하세요.

(1) 한국 사회에서 외국인 노동자가 급격하게 증가하기 시작한 것은 1990년 이전이다. ( )

(2) 한국에서 다문화 가정은 현재 한국 총 인구의 2%에 달한다. ( )

(3) 한국 정부가 한국을 '다문화, 다종족 사회'라고 선언한 것은 2006년이다. ( )

(4) 다문화 가정 출신자로 사회에서 활약하고 있는 사람이 줄어들고 있다. ( )

원족근린(遠族近隣)

우리는 이웃 사촌

- 가까운 이웃이 먼 친척보다 낫다
- 遠くの親戚より近くの他人

들어 보기

❶ 외국인 체류자 실태에 대한 정부 정책브리핑입니다. 내용을 듣고 빈칸에 알맞은 숫자를 쓰세요. 14-1

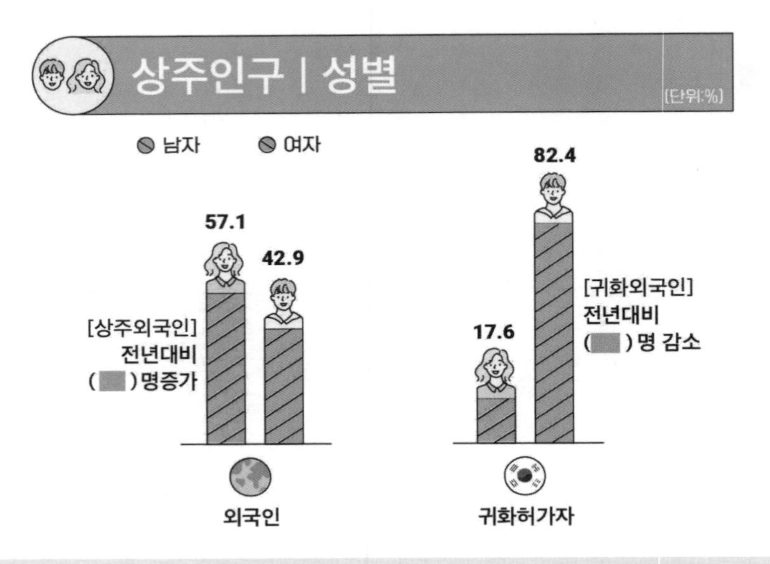

체류실태조사 滞在実態調査	상주외국인 在住外国人	전년대비 前年対比
정주성이 높다 定住性が高い	귀화허가자 帰化許可者	재외동포 在外同胞
체류자격별 在留資格別	이민 移民 영주 永住	
비전문 非専門	방문취업 就職ビザなどによる就職	

❷ 학교 입학식에서 처음 만난 두 사람의 대화입니다. 내용을 듣고 맞지 않는 것을 모두 고르세요. (　　　　　　) 14-2

(1) 안나 씨는 다문화 가정이다.

(2) 다문화 가정 자녀는 다 영어를 잘 한다.

(3) 안나 씨는 한국어는 잘하지만 영어는 잘 못한다.

(4) 혜리 씨는 다문화 가정이다.

이야기해 보기

❶ 일본의 다문화사회 특징에 대해 이야기해 보세요.

❷ 두 가지 이상의 문화가 섞여 만들어진 문화를 퓨전문화라고 합니다. 퓨전문화의 좋은 점에는 어떤 것들이 있는지 알아보고 이야기해 보세요.

コラム

안산（アンサン）多文化街を知っていますか?

安山(アンサン)市は韓国のソウルから地下鉄４号線で南へ約１時間のところにあり、ユネスコ世界文化遺産・水原華城(スウォンファソン)で人気の水原(スウォン)とも隣接する郊外都市です。現在安山には、世界110カ国から来た約9万人の外国人が住んでいますが、特に多文化通りがある元谷洞は多文化村特区に指定され、多くの外国飲食店や商店街が密集しています。そのため、週末には全国から多くの外国人や韓国人が訪れ、異国情緒あふれる賑わいを見せています。また、安山市では韓国人と外国人住民間の統合を誘導するための様々な社会統合プログラムが運営されており、青少年の外国人に対する認識を向上させるための教育活動も活発に行われています。韓国の中の多文化を味わってみたい場合は、安山元谷洞の多文化街に出かけてみてはいかがですか。

Chapter 15

디지털 사회

デジタル社会

빠르게 변화하는 한국 사회

초스마트사회!

여러분이 그리는 이상적인 디지털 사회는 어떤 사회인가요?

학습목표

- 한국의 디지털 사회의 특징에 대해 이해할 수 있다.
- 디지털 사회가 가져다 주는 장점과 단점에 대해 이야기할 수 있다.
- 생활 속에서 진행되고 있는 디지털화에 대해 이야기할 수 있다.

18세기 말에서 19세기 말에 발명된 증기기관과 전기는 인류의 산업 생산성을 극적으로 증대시켜 제1, 2차 산업혁명을 일으켰고(3.0 사회), 20세기 말 정보통신기술(ICT)의 발달은 산업과 사회에 융합돼 제3차 산업혁명(4.0 사회)을 가져왔습니다. 과학기술은 21세기에 접어들어 산업 현장뿐 아니라 일상생활까지 혁명적으로 변화시키며 스마트 환경의 인공지능사회(5.0 사회)를 열어가고 있습니다.

한국은 IT 선진국으로 알려져 있습니다. 1998년 취임한 제15대 김대중(金大中) 대통령이 IT산업을 국가 기본 정책의 하나로 추진하면서 디지털화가 빠르게 침투되었습니다. 특히 IT산업 중에서도 현재 'e스포츠'가 각광을 받고 있습니다.

한국에는 '피시방'이라는 게임 전용 시설이 전국 각지에 있어 누구나 언제든지 게임을 할 수 있는 환경이 갖추어져 있기 때문에 게임 커뮤니티가 급속히 늘어났습니다. e스포츠(Electronic Sports)는 컴퓨터 통신이나 인터넷 등을 통해서 온라인 상으로 이루어지는 게임을 말합니다. 우승 상금이 10억 원을 넘어서는 대규모 대회도 있으며, 국내외를 막론하고 프로 게이머에게 열광하는 팬도 많습니다. 한국은 'e스포츠 선진국'이며 세계적인 대회에서 여러 번 우승을 차지했습니다. e스포츠 전문 채널이 개설되고 국내 e스포츠 프로팀과 프로 리그가 발족되면서 e스포츠는 더 폭넓게 인기를 얻어 매년 급성장하고 있습니다.

그리고 한국은 '현금 없는 사회'이기도 합니다. 한국은행의 '2019년 지급수단 및 모바일금융 서비스 이용행태'에 따르면 가장 많이 이용한 지급수단으로 신용카드가 꼽혔습니다. 또한 조사에서는 신용카드가 2017년 29.3%에서 43.7%로 2배 가까이 상승했지만 현금 이용률은 36.1%에서 26.4%로 줄어든 것으로 나타났습니다. 1997년 아시아 외환 위기 이후 개인 소비 확대와 소매점의 탈세 방지를 목적으로 정부를 주체로 하여 신용 카드 이용을 추진해 왔습니다. 그 결과 국민의 상당수가 신용 카드를 사용하게 되었습니다. 이외에도 '티머니 카드'나 '제로페이' 같은 모바일 결제 서비스도 많이 이용되고 있습니다. 또한, 2017년에 한국은행이 현금 없는 사회를 확대하기 위해 2020년까지의 '동전 없는 사회' 실현을 발표하면서 한국에서는 편의점이나 대형 상점에서 거스름돈을 계좌로 환급하는 시스템이 도입되었습니다.

산업사회는 수백 년간 지속되어 왔지만 사람과 사물의 이동 거리와 시간을 획기적으로 줄이고 AI가 활약하는 '초스마트 사회'에서는 관습이나 제도가 빠른 속도로 교체되어 가고 있습니다. 이것은 '코로나 19'로 인해 그 속도가 더 가속화될 전망입니다.

어휘와 표현 語彙と表現

참고 어휘 参考語彙

❏ 증기기관	蒸気機関	❏ 우승 상금	優勝賞金
❏ 인류	人類	❏ 발족하다	発足する
❏ 산업 생산성	産業生産性	❏ 지급수단	支払い方法
❏ 증대시키다	増大させる	❏ 모바일금융	モバイル金融
❏ 산업혁명	産業革命	❏ 이용행태	利用動向
❏ 정보통신기술	情報通信技術	❏ 소매점	小売店
❏ 산업현장	産業現場	❏ 탈세 방지	脱税防止
❏ 혁명적으로	革命的に	❏ 제로페이	ゼロペイ
❏ 스마트 환경	スマート環境	❏ 환급하다	返金する
❏ 인공지능	人工知能	❏ 수백 년간	数百年間
❏ IT선진국	IT先進国	❏ 획기적	画期的
❏ 취임하다	就任する	❏ 초스마트 사회	超スマート社会
❏ 디지털화	デジタル化		

학습 어휘 学習語彙

❏ 발명되다	発明される	❏ 정부	政府
❏ 극적으로	劇的に	❏ 주체	主体
❏ 융합되다	融合される	❏ 대형 상점	大型商店
❏ 과학기술	科学技術	❏ 거스름돈	おつり
❏ 침투되다	浸透する	❏ 계좌	口座
❏ 급속히	急速に	❏ 도입하다	導入する
❏ 넘어서다	超える	❏ 지속되다	持続される
❏ 대규모	大規模	❏ 사물	事物
❏ 열광하다	熱狂する	❏ 이동 거리	移動距離
❏ 채널	チャンネル	❏ 줄이다	減らす
❏ 개설되다	開設される	❏ 관습	慣習
❏ 폭넓게	幅広く	❏ 교체되다	交替される、取って代わる
❏ 급성장하다	急成長する		
❏ 가까이	近く	❏ 가속화되다	加速化される
❏ 상승하다	上昇する	❏ 전망	展望、見通し
❏ 이용률	利用率		

표현 表現

❏ -을/를 열어가다	～を開く
❏ 각광을 받다	脚光を浴びる
❏ 환경이 갖추어지다	環境が整えられている
❏ -을/를 막론하다	～を問わない、～に関わらない
❏ 우승을 차지하다	優勝を勝ち取る、優勝する
❏ 인기를 얻다	人気を得る
❏ -에 따르면	～によると
❏ -이/가 꼽히다	～が選ばれる
❏ 우승을 차지하다	優勝を勝ち取る、優勝する

본문 확인하기

❶ 본문을 읽고 다음 질문에 답하세요.

(1) 5.0 사회는 어떤 사회입니까?

(2) IT산업을 국가 기본 정책으로 추진한 사람은 누구입니까?

❷ 본문 내용과 맞으면 ○, 틀리면 × 하세요.

(1) 한국은 세계적인 e스포츠 대회에서 아직 우승을 차지한 적이 없다. ( )

(2) 한국 피시방은 e스포츠 보급에 영향을 끼쳤다. ( )

(3) 2019년 조사에 의하면 한국사람들이 가장 많이 이용한 지급수단은 모바일 결제 서비스이다. ( )

(4) 한국은행이 2020년까지의 '동전 없는 사회' 실현을 발표했다. ( )

천선지전(天旋地轉)

세상 일이 빨리 변화한다

❀ 가는 말에 채찍질

❀ 駆ける馬にも鞭、順調に行われていることに更に念を入れる

들어 보기

❶ 교통카드 티머니에 대한 설명입니다. 내용을 듣고 맞는 것을 모두 고르세요. (　　　　　　)　　15-1

(1) 어디서나 구매와 충전이 가능하다.

(2) 티머니를 사용하면 버스와 지하철 간 환승이 무료이다.

(3) 택시에서 사용할 수 없다.

(4) 자기만의 오리지널의 카드를 만들 수 있다.

충전소 チャージ場所　환승 乗り換え　승하차 乗り降り　원활하다 円滑だ
자동발매기 自動販売機

❷ 직원과 고객이 나누는 대화입니다. 내용을 듣고 맞는 것을 고르세요. (　　　　　　)　　15-2

(1) 손님은 현금으로 결제했다.

(2) 손님은 포인트 적립을 하지 않는다.

(3) 교환은 7일 이내에 가능하다.

(4) 환불이 불가능하다.

고객님 お客様　결제 決済、支払い　적립하다 積み立てる　교환 交換
환불 返金、払い戻し　영수증 領収証

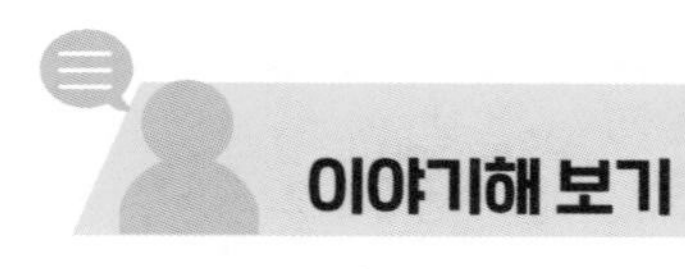

❶ 디지털 사회의 장점과 단점에 대해 알아보고 이야기해 보세요.

❷ 일상 생활에서 디지털화가 진행되면 좋겠다고 생각하는 부분에 대해서 이야기해 보세요.

コラム

自宅からいつでも各種証明書が発行可能？

2020年国連が発表した「世界電子政府ランキング」で韓国は第2位にランクインしました。電子政府とは、ITの利用により行政事務を簡素化し効率的な政府を実現しようとするものです。韓国はこの調査で過去10年間にわたって常にトップ3にランクインしています。韓国のオンラインサービスは充実しており、政府のポータルサイトでは約3200種類の証明書の申請や発給を受けることができます。例えば住所変更の手続きや住民票などの証明書の発行を、市役所に行かなくても自宅からオンラインでいつでも行うことができ、手数料も無料のものが多いです。このように韓国では行政のデジタル化が非常に進んでおり、国民にとって便利な制度が整えられています。一方、新型コロナウイルス感染症拡大にあたり、政府が感染者の追跡及びデータ公開を行ったことに関しては、個人のプライバシー侵害などが懸念されています。

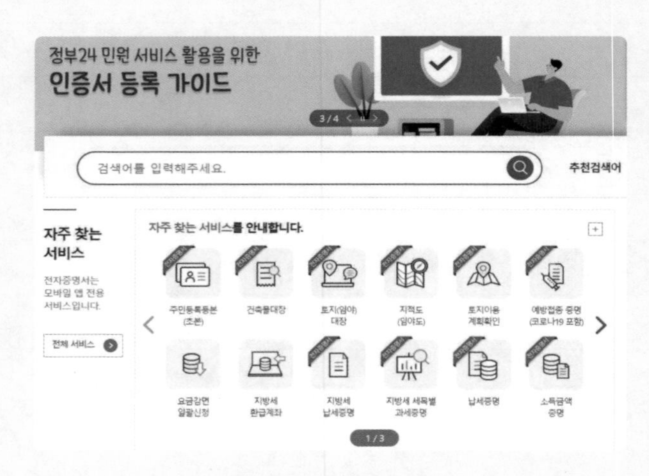

정부24（政府24）

https://www.gov.kr/portal/main

付録

- 모범답안 解答
- 듣기 대본 Script

解答

한국의 기초

Chapter 01: 한국의 지리

❶

(1) 부산입니다.

(2) 제주도는 돌과 바람, 여자가 많아서입니다.

❷

(1) d (2) c (3) b (4) a

들어 보기 1-1, 1-2

❶ (1) ○ (2) ○ (3) × (4) ○

❷ (1) ① 해운대 ② 남포동 (2) ③

Chapter 02: 역동의 한국 현대사

❶ (1) 김대중 대통령입니다.

(2) 촛불집회라고 합니다.

❷ (1) ○ (2) ○ (3) ○ (4) ×

解答

들어 보기 2-1, 2-2

❶ (1) 38.5　　(2) 61.5

❷ (1), (2)

Chapter 03: 한국의 언어

본문 확인

❶ (1) 바르다, 하나, 큰, 으뜸의 의미입니다.

(2) 서울말입니다.

❷ (1) ○　　(2) ○　　(3) ×　　(4) ×

들어 보기 3-1, 3-2

❶ 1, 4

❷ (1)d　　(2)b　　(3)e　　(5)c

Chapter 04: 한국인의 예절과 커뮤니케이션

본문 확인

❶ (1) 인사입니다.　　(2) 주도라고 합니다.

❷ (1) ×　　(2) ○　　(3) ×　　(4) ×

들어 보기 4-1, 4-2

❶ (1) ○　　(2) ×　　(3) ○　　(4) ○　　(5) ×

❷ (1) 1　　(2) 2　　(3) 4　　(4) 3

解答

한국의 생활문화

Chapter 05: 한국인의 통과의례

본문 확인

❶ (1) 통과의례라고 합니다. (2) 환갑이라고 합니다.

❷ (1) ○ (2) ○ (3) × (4) ○

들어 보기 5-1, 5-2

❶ (1) (3)

❷ (4)

Chapter 06: 한국의 명절과 한복

본문 확인

❶ (1) 세배라고 합니다. (2) 한가위라고 합니다.

❷ (1) × (2) ○ (3) ○ (4) ×

들어 보기 6-1, 6-2

❶ 민족의 대이동

❷ (1), (3)

解答

Chapter 07: 한국의 음식

❶ (1) 김장이라고 합니다.

(2) 다이어트와 미용에 효과가 있습니다.

❷ (1) ×　(2) ◯　(3) ×　(4) ◯

들어 보기 7-1, 7-2

❶ ④→ ①→ ②→ ③→ ⑥→ ⑤

❷ (3)

Chapter 08: 한국의 주거

❶ (1) 한옥이라고 합니다.

(2) 온돌이라고 합니다.

❷ (1) ◯　(2) ×　(3) ×　(4) ◯

들어 보기 8-1, 8-2

❶ (4)

❷ (2)

解答

한국의 문화와 예술

Chapter 09: 가정의 달

본문 확인

❶ (1) 어린이날, 어버이날, 스승의 날, 부부의 날 등 가정과 관련된 기념일이 많기 때문입니다.

(2) 기념일이 많아 비용이 들고, 상업적 목적의 기업들이 사용하는 상술이라는 의견이 있습니다.

❷ (1) ○ (2) × (3) × (4) ○

들어 보기 9-1, 9-2

❶ (3)

❷ (1) 5월 14일 (2) 6월14일 (3) 7월14일

Chapter 10: 캠퍼스 대학생활

본문 확인

❶ (1) 엠티라고 합니다. (2) 동아리라고 합니다.

❷ (1) ○ (2) × (3) ○ (4) ×

들어 보기 10-1, 10-2

❶ 취업입니다.

❷ (2)

Chapter 11: 한국인의 미용의식

본문 확인

❶ (1) 그루밍족입니다. (2) 성장클리닉입니다.

❷ (1) × (2) × (3) ○ (4) ○

들어 보기 11-1, 11-2

❶ 35.0, 자신감을 얻기 위해서

❷ (4)

Chapter 12: 한국의 문학

본문 확인

❶ (1) 페미니즘입니다.

(2) 일상 속에 숨어 있는 사회 문제나 삶의 힘듦이 부각되고 있다는 점입니다.

❷ (1) × (2) × (3) ○ (4) ○

들어 보기 12-1, 12-2

❶ (1) 34.3　　(2) ③

❷ (2)

Chapter 13: 한류

본문 확인

❶ (1) 한류입니다.

(2) 젊은 여성이 중심이 되어 K-POP을 비롯해, K푸드, 패션, K뷰티 등이 유행하면서 일상 생활에까지 영향을 끼친 것입니다.

❷ (1) ○　　(2) ×　　(3) ×　　(4) ○

들어 보기 13-1, 13-2

❶ (1) 22.8　　(2) 5조

❷ (1)

解答

한국 사회의 미래

Chapter 14: 다문화 사회

❶ 장점: 다른 문화를 접하고 이해할 수 있는 기회가 늘어나고, 부족해진 노동력을 보충할 수 있습니다.

단점: 문화적 차이와 의사소통의 어려움 때문에 부적응 문제가 발생하기 쉽습니다. 일자리 경쟁 심화, 외국인 범죄 증가, 외국인 지원을 위한 사회적 비용 증가 등으로 인해 외국인과 내국인의 갈등이 생길 수 있습니다.

❷ (1) × (2) ○ (3) ○ (4) ×

들어 보기 14-1, 14-2

❶ (1) 9,000명 증가 (2) 200명 감소

❷ (2), (4)

Chapter 15: 디지털 사회

❶ (1) 스마트 환경의 인공지능사회입니다.

(2) 김대중 대통령입니다.

❷ (1) × (2) ○ (3) × (4) ○

들어 보기 15-1, 15-2

❶ (2), (4) ❷ (3)

Script

Chapter 01: 한국의 지리 1-1, 1-2

❶ 안녕하세요. 일기 예보입니다. 내일 올가을 첫 한파주의보가 내려집니다. 경기 북부와 영서 북부 지역은 기온이 영하권으로 뚝 떨어지겠고 서울도 내일 아침 최저 기온 5도로 올가을 들어서 가장 춥겠습니다. 여기에 찬 바람까지 강하게 불면서 체감온도는 이보다 훨씬 더 떨어지겠습니다. 내일 낮에도 찬 바람이 강하게 불면서 종일 쌀쌀하겠는데요, 그래도 강한 북서풍이 미세먼지를 밀어내 준 덕에 내일 전국의 대기 상태는 깨끗해지겠습니다. 내일 전국 하늘 대체로 맑은 가운데 서해안에는 강한 바람이 불겠습니다.

❷ 수영: 우리 이번 주 여행 어디로 갈까요?
민수: 저는 대구 한 번 가보고 싶은데 어때요?
수영: 저는 대구보다는 부산이 좋은데요.
민수: 괜찮네요. 전 부산이면 해운대 한번 가보고 싶은데요. 수영 씨는요?
수영: 전 남포동에서 쇼핑하고 싶어요. 그럼 먼저 해운대로 갔다가 남포동쪽으로 갈까요?
민수: 네 좋아요. 부산에는 밀면이나 돼지국밥 같은 먹거리가 많아서 정말 기대돼요.

Chapter 02: 역동의 한국 현대사

2-1, 2-2

❶ 이산가족이란 남북 분단 등의 사정으로 서로 흩어져 만날 수 없게 되거나 소식을 모르는 가족을 말한다. 2020년은 6 · 25전쟁 70주년으로 이산가족 대면상봉 20주년을 맞는 해이다. 5월 말 기준으로 이산가족 상봉을 신청한 이들은 모두 13만 3천 386명인데, 이 가운데 생존자는 38.5%(5만 1천 367명)에 그친다. 나머지 61.5%(8만 2천 19명)는 이미 세상을 떠났다. 생존자들도 대부분 고령이라 시간이 없다. 하루빨리 이산가족들이 만날 수 있는 날이 오기를 바란다.

❷ A: 여보세요? 청와대를 견학하고 싶은데요, 어떻게 해야 되죠?

B: 네, 문의 감사합니다. 관람 희망일 한 달 전까지 미리 신청해야 합니다.

A: 주말에도 견학할 수 있습니까?

B: 평일이나 주말 모두 견학 가능합니다.

A: 관람 시간은 얼마나 걸려요?

B: 약 1시간 30분 정도 걸립니다.

Chapter 03: 한국의 언어

3-1, 3-2

❶ 한글은 사람이 말하는 소리를 기호로 나타낸 표음문자이다. 한글에는 자음과 모음이 있다. 자음은 발음 기관의 형태를 기본으로 모음은 하늘과 땅과 사람을 기본으로 만들어졌다. 한글은 음절 단위로 모아쓰는 특징을 지니고 있다.

❷ A: 이번에는 "안녕하세요."에 대해서 알아봅시다. 충청도에서는 뭐라고 하는지 아세요?

B: 네. 들어 봤어요. "안녕하세유?" 아닌가요?

A: 잘 아시네요. 그 외에 아는 사투리 있어요?

B: 제주도에서는 "안녕하우꽈?"라고 하지 않아요? 근데 경상도랑 전라도는 잘 모르겠어요.

A: 경상도에서는 "안녕하신교?"라고 하고, 전라도는 "안녕하셨지라?"라고 해요.

B: 아아. 다음에 친구한테는 경상도 사투리로 인사해 봐야겠어요.

Chapter 04: 한국인의 예절과 커뮤니케이션

4-1, 4-2

❶ [보기] 소리를 내서 씹으면 안 된다.

(1) 밥그릇 국그릇을 손으로 들고 먹지 않는다.

(2) 면 종류는 소리를 내서 먹어도 된다.

(3) 식사 후 트림을 하면 안 된다.

(4) 먹지 않는 음식을 골라내거나 양념을 털어내면 안 된다.

(5) 양손으로 숟가락과 젓가락을 사용해서 먹는다.

❷ A: 한국의 밥상은 어떻게 준비해요?

B: 밥, 국, 김치, 찌개가 기본이에요.

A: 밥과 국은 어디에 놓으면 되죠? 놓는 위치가 정해져 있어요?

B: 밥은 상 가장 앞쪽 왼쪽에, 그리고 국은 밥 오른쪽 놓으면 돼요.

A: 숟가락과 젓가락은요?

B: 수저는 상 오른쪽에 놓는데, 숟가락은 왼쪽, 젓가락은 오른쪽에 놓아요.

Chapter 05: 한국인의 통과의례

5-1, 5-2

❶ 한국에서는 매년 5월 셋째 주 월요일이 성인의 날이다. 옛날에는 성인의 날에 남자는 갓을 쓰고 여자는 쪽을 져서 성인이 된 것을 기념했다. 그렇지만 요즘에는 성인이 된 사람들에게 축하의 선물을 한다. 특히 성인이 된 여자 친구에게는 남자 친구가 장미꽃과 향수를 주기도 한다.

❷ A: 어제 신기한 꿈을 꿨어요.

B: 무슨 꿈이었는데요?

A: 그게 꿈에서 잉어를 잡았어요. 근데 잉어가 얼마나 큰지 깜짝 놀라서 잠이 깼어요.

B: 그거 태몽이네. 잉어 꿈은 아들이라고 하던데.

A: 저 아직 결혼 안 했는데요.

B: 얼마전에 언니가 결혼했다고 하지 않았어요?
다른 사람이 태몽을 꾸기도 해요.

Script

Chapter 06: 한국의 명절과 한복

6-1, 6-2

❶ 명절 때에는 부모님과 친척들이 살고 있는 고향에 가서 명절 연휴를 보낸다. 그렇기 때문에 해마다 명절이 되면 '민족의 대이동'이라고 할 정도로 전국의 도로와 철도, 공항은 고향으로 가는 사람들로 북적인다. 요즘은 반대로 부모님들이 도시에 사는 자식들을 찾아가는 역귀성도 늘어나고 있다.

❷ A: 이 아이가 누구예요? 너무 귀여워요.
B: 제 조카예요.
A: 조카가 입고 있는 한복 색깔이 정말 화려하고 예뻐요.
B: 이건 아이들이 입는 색동저고리라고 해요.
색동 색깔에는 아이들의 건강을 기원하는 의미가 있어요.
A: 그렇군요. 한복 색에 그런 의미가 있는 줄 몰랐어요.

Chapter 07: 한국의 음식

7-1, 7-2

❶ 1. 배추에 소금을 뿌린다.
2. 흐르는 물에 배추를 씻는다.
3. 채소는 채를 썰고 마늘과 생강은 곱게 다진다.
4. 각종 양념과 채소를 넣어서 김치소를 만든다.
5. 절인 배추에 소를 잘 넣는다.
6. 완성된 김치를 김치통에 넣는다.

Script

❷ A: 감사합니다. '날아라 치킨'입니다.

B: 여보세요? 여기 한강공원인데요, 치킨 배달 되나요?

A: 네, 가능합니다.

B: 그럼 후라이드 반, 양념 반 부탁드릴게요.

A: 네, 감사합니다. 20분 정도 걸리니까 배달존에서 기다리세요.

B: 아! 비닐장갑하고 나무젓가락도 갖다주세요.

Chapter 08: 한국의 주거

8-1, 8-2

❶ 한국의 대학가나 직장 밀집 지역 인근 부동산 사이트에는 함께 동거할 사람을 구하는 글이 많다. 이것은 '하우스메이트'라고 하는데 2~30대 젊은 층을 중심으로 보증금이나 월세를 나눠 내며 한집에서 함께 사는 방식이다. 하우스메이트는 개인적인 프라이버시가 반드시 지켜지는 것은 아니지만 방값의 부담을 덜고, 혼자 거주하며 생길 수 있는 외로움도 덜 수 있어서 젊은 사람들이 선호한다. 또한 거실이나 마당 등 혼자 사는 집에는 없는 여유 공간을 누릴 수 있는 점도 장점이다.

❷ 유리 : 광고 보고 전화드렸어요. 한국동 하나빌라 아직 비어 있어요?

부동산: 그거 다른 분이 이미 계약하셨는데요.

유리 : 그래요? 음, 그럼 싼 원룸이나 오피스텔은 있어요?

부동산: 언제 이사오실 건데요?

유리　: 2월 초에 들어가고 싶어요.

부동산: 아, 싼 원룸 있어요. 오피스텔인데 월세도 싸고, 지하철 역도 가까워요.

Chapter 09: 가정의 달

9-1, 9-2

❶ 어버이날 부모님들이 가장 받고 싶어하는 선물은 뭘까요? 지난 1년 동안 SNS에 어버이날 선물로 올라온 키워드 중에서 '현금'이 1위였다. 그리고 자식의 따뜻한 마음이 담긴 전화가 2위, 편지가 3위였다. 미혼 자녀의 경우 부모님을 위한 선물로 '선을 본다'는 트렌드도 등장했다. 한편, 부모님이 제일 받기 싫어하는 선물은 책이었다. 열심히 살라는 압박으로 느끼기 때문인 것 같다. 케이크와 꽃다발도 좋아하지 않는 선물 2, 3위에 올랐다.

❷ 한국인: 오늘 블랙데이인데, 이따가 같이 짜장면 먹으러 갈래요?

외국인: 네, 좋아요. 근데 한국은 매달 14일마다 무슨 기념일이 이렇게 많아요.

한국인: 그쵸. 혹시 5월 14일이 무슨 날인지 아세요?

외국인: 네, 들어본 적 있어요. 로즈데이 맞죠? 그리고 6월 14일은…, 뭐였죠?

한국인: 키스데이잖아요. 그리고 7월 14일은 실버데이예요.

외국인: 실버데이요? 그건 또 뭘 하는 날인가요!?

Chapter 10: 캠퍼스 대학생활

10-1, 10-2

❶ 대학생들이 대학에 들어온 이유로 지난해에 이어 올해도 '취업에 유리한 조건 획득'을 1순위로 선택했다. 특히 응답비율이 지난해 39.3%에서 51.8%로 껑충 뛰었다. 대학생 2명 중 1명은 취업을 위해 대학에 진학한다. 이처럼 한국 대학생들의 최대 관심사는 첫째도 취업, 둘째도 취업이다. 이제 상아탑, 캠퍼스의 낭만은 옛말이다. 대학생들은 1학년 때부터 취업 공부에 여념이 없다. 취업난 시대, 대한민국 대학생의 현주소라고 할 수 있다.

❷ 유미: 정국 씨, 학식에서 점심 같이 먹을래요?
정국: 네, 좋아요. 저도 지금 막 가려던 참이었어요.
유미: 이따가 점심 먹은 후에는 뭐 해요?
정국: 오후에는 공강이라서 도서관에 갈 생각이에요. 왜요?
유미: 아, 전 팀플하러 카페 가는데, 정국 씨는 뭐 하나 해서요.
정국: 팀플요? 아, 유미 씨 덕분에 생각났는데 저도 내일 있었네요!

Chapter 11: 한국인의 미용의식

11-1, 11-2

❶ 잡코리아의 조사 결과에 의하면, 전체 남성 직장인 중 35.0%가 자신을 그루밍족이라 표현했다. 그루밍족 비율은 젊은층에 많고, 특히 20대 남성 직장인들의 경우는 그루밍족 비율이 42.7%로 약 두 명 중 한 명이 그루밍족인 것을 알 수 있었다고 한다. 그리고 직장인 남성이 외모 관리에 신경 쓰는 가장 큰 이유로는 자신감을 얻기 위해서라고 대답한 사람이 80%를 넘어서 최다였다. 외모를 경쟁력이라고 생각하는 사람이 많음을 알 수 있다.

❷ 고객 : 피부관리 상담하고 싶은데요.

상담사: 아! 네~피부관리요? 한번 직접 오시겠어요?

고객 : 그럼, 금요일 오후나 토요일 오전에 괜찮을까요?

상담사: 네, 잠시만요. 죄송한데요, 예약이 꽉 차 있어요. 다음 주 금요일 오후는 어떠세요?

고객 : 제가 다음 주 금요일은 다른 일이 있어서요. 목요일 오전은 안 될까요?

상담사: 네, 괜찮습니다.

Chapter 12: 한국의 문학

12-1, 12-2

❶ 한국 문화체육관광부가 성인과 초 · 중 · 고 학생들을 대상으로 '2019년 국민 독서실태 조사'를 실시하였다. 그 결과 연간 평균 독서량이 학생의 경우 38.8권으로, 2년 전의 34.3권에 비해 늘어났으나 성인의 경우 7.3권으로, 2년전의 9.4권에 비해 줄어든 것을 알 수 있었다. 이 조사에서 독서자의 절반 정도가 '자신의 독서량 부족'을 인식하고 있었는데 독서량이 부족한 요인으로 '책 이외의 다른 콘텐츠 이용'이나 '일이나 학교, 학원 때문에 시간이 없음' 등을 들었다.

❷ 수미: 민수 씨 혹시 '김지영' 봤어요?

민수: 김지영? 그게 뭐예요?

수미: 왜 소설 "82년생 김지영" 있잖아요. 그게 영화로 나왔어요.

민수: 어 그래요? 소설이랑 영화랑 뭐가 더 재미있었어요?

수미: 개인적으로는 소설이 더 재미있었는데 영화도 추천할 만해요.

민수: 그래요? 그럼 한 번 봐야겠네요.

Script

Chapter 13: 한류

13-1, 13-2

❶ 한류 바람을 타고 콘텐츠 수출도 급증했다. 한국국제문화교류진흥원에 따르면 지난해 한류 관련 콘텐츠 수출액은 전년 대비 22.8% 늘어난 44억2500만달러(약 5조2551억원)를 기록했다. 사상 처음으로 5조원을 넘어섰다. 한국국제문화교류 진흥원장은 "BTS와 OTT 덕분에 한류가 기존 영역을 뛰어넘었다"며 "한류 산업이 성숙기에 접어들고 있다"고 말했다.

❷ A: 이번 신곡은 어떤 노래입니까?

B: 경쾌한 여름 노래이고 신나는 댄스 팝 장르로, 피아노와 현악기 선율이 상쾌하게 더해졌습니다.

A: 이번 신곡은 어떤 메시지를 담고 있는지 말씀해 주실 수 있을까요?

B: 이번 곡은 힘겨운 시기에 새로운 희망과 행복한 기운을 얻는 이야기를 담았습니다.

A: 특별한 안무도 눈에 띄는데 어떤 의미를 가지고 있습니까?

B: '즐겁다' '춤추다' '평화'를 의미하는 국제수화를 활용해 안무를 만든 것입니다.

Chapter 14: 다문화 사회 14-1, 14-2

❶ 정부는 2020년 이민자 체류실태조사 결과를 발표했다. 2020년 5월 15세 이상 국내 상주외국인은 133만 2,000명으로 전년대비 9,000명 증가했다. 체류자격별로는 재외동포, 결혼이민, 영주 등과 같이 정주성이 높은 체류자격 외국인은 증가했으나 방문취업, 비전문취업 등에서는 감소했다. 15세 이상 최근 5년 이내 귀화허가자는 4만 9,000명으로 전년대비 200명 감소했다.

❷ A: 안나 씨 영어 잘하시죠?
B: 아뇨, 잘 못하는데요.
A: 다문화가정이라 들어서 당연히 잘 할거라고 생각했어요.
B: 저는 한국에서 태어나고 자라서 영어는 잘 못해요.
A: 그렇군요. 제가 편견을 가지고 있어나 봐요. 죄송해요.
B: 아니에요. 생긴건 달라도 저도 혜리 씨와 같은 한국 사람이에요.

Chapter 15: 디지털 사회 15-1, 15-2

❶ 티머니(T-money)는 일본에서 사용하는 'Suica'나 'ICOCA' 같은 IC 교통 카드이다. 지하철역이나 편의점 등에서 구매가 가능하며 티머니 충전소에서 자유롭게 충전할 수 있다. 티머니는 전국의 지하철, 버스는 물론 고속버스와 철도, 택시까지 모두 사용 가능하다. 티머니를 사용하면 지하철 노선 간 그리고 버스와 지하철 간 환승이 무료이기 때문에 교통 기관의 승하차가 원활하고 편리하다. 요즘은 지하철역에 있는 자동발매기에서 자기가 좋아하는 사진을 넣어서 오리지널의 카드를 만들 수도 있다.

❷ 직원: 고객님 결제 도와드리겠습니다.
고객: 여기 카드 되죠?
직원: 네, 됩니다. 다 해서 65,000원이에요. 포인트 적립하세요?
고객: 핸드폰으로 적립할게요.
직원: 여기 결제됐습니다. 교환이나 환불 원하시면 일주일 이내로 영수증 가지고 오세요.
고객: 네, 감사합니다. 안녕히 계세요.

著者略歴

林 炫情（いむ ひょんじょん）
韓国生まれ。広島大学大学院国際協力研究科博士課程後期修了。博士（Ph. D.）。
専門は社会言語学、外国語教育。現在、山口県立大学国際文化学部教授。

丁 仁京（ちょん いんぎょん）
韓国生まれ。麗澤大学大学院言語教育研究科博士後期課程修了。博士（文学）。
専門は日韓対照言語学、韓国語教育。現在、福岡大学共通教育センター外国語講師。

崔 文姫（ちぇ むんひ）
韓国生まれ。首都大学東京大学院人文科学研究科博士後期課程修了。博士（文学）。
専門は韓国語教育、日本語教育。現在、中京大学教養教育研究院教授。

木下 瞳（きのした ひとみ）
日本生まれ。韓国釜山大学校外国語としての韓国語教育専攻修士課程修了。修士（韓国語教育学）。専門は韓国語教育、日本語教育。現在、山口県立大学国際文化学部実習助手。

総合韓国語中級発展テキスト 韓国を語る (한국을 말하다)

初版発行 2022年12月23日

著　者 林炫情・丁仁京・崔文姫・木下瞳

発行人 中嶋 啓太
編　集 金善敬

発行所 博英社
〒370-0006 群馬県 高崎市 問屋町 4-5-9 SKYMAX-WEST
TEL 027-381-8453 / FAX 027-381-8457
E・MAIL hakueisha@hakueishabook.com
HOMEPAGE www.hakueishabook.com

ISBN 978-4-910132-25-9

定　価 2,750円（本体 2,500円）